간호대학생을 위한

쉬운 일러스트
해부생리학

인체의
신비
Q&A 2

編著 **山田晃司**(Yamada Koji) | 옮긴이 **문미선** 외

군자출판사

간호대학생을 위한 쉬운 일러스트

해부생리학 — 인체의 신비 Q&A 2

첫째판 인쇄 2016년 2월 03일
첫째판 발행 2016년 2월 16일

編著(편저) 山田晃司(Yamada Koji)
옮 긴 이 문미선 외
발 행 인 장주연
출 판 기 획 군자출판사
내지디자인 이슬희
표지디자인 김재욱
발 행 처 군자출판사
　　　　　　등록 제4-139호(1991.6.24)
　　　　　　본사 (110-717) **파주출판단지** 경기도 파주시 회동길 338(서패동 474-1)
　　　　　　전화 (031) 943-1888　　팩스 (031) 955-9545
　　　　　　홈페이지 | www.koonja.co.kr

KAIBÔ SEIRI GA YOKU WAKARU-KARADA NO FUSHIGI Q&A 2
written and edited by Koji YAMADA
Copyright © 2011 by Shorinsha, Inc.
Korean translation rights arranged with Shorinsha, Inc.
through Japan Foreign-Rights Centre/ Shinwon Agency Co.

· 파본은 교환하여 드립니다.
· 검인은 저자와 합의 하에 생략합니다.

ISBN 979-11-5955-006-5(2권)

정가 17,500원

옮긴이소개

경남정보대학교 간호학과	강은희 교수
경운대학교 간호대학	조남희 교수
구미대학교 간호학과	서은주 교수
대구보건대학교 간호학과	서영숙 교수
부산대학교 간호대학	김동희 교수
선린대학교 간호학과	이영미 교수
수성대학교 간호학과	양혜주 교수
중앙대학교 적십자간호대학	조용애 교수
진주보건대학교 간호학과	이해랑 교수
진주보건대학교 간호학과	김은재 교수
춘해보건대학교 간호학과	문미선 교수
춘해보건대학교 간호학과	김요나 교수

인체의 변화는 어떻게 일어나는 것일까 ?
인체의 신비를 해부(구조)와 생리(기능)로써 생각해 보자.

간호학을 배우기 위해 처음 받은 수업이 해부생리학이다. 해부학은 인체의 구조를, 생리학은 인체의 기능을 배우는데 외워야할 것이 많아서 무진장 고생했다. 의료를 배우기 위해 처음 배우고 재미 있다고 느낀 것도 해부생리학이지만 처음 좌절을 맛 본 과목도 이 해부생리학이다. 여기에서 공부를 게을리 하게 되면 그 다음에 기다리고 있는 전문 과목이 점점 어려워진다.

해부생리학 수업을 받으면 우선 자신의 인체이나 가족의 병으로 입장을 바꿔서 생각할 때가 많을 것이다. 그래서 강의가 끝나면 질문을 하기 위해 쉬는 시간인데도 불구하고 교탁 주변에 학생들이 자주 모인다.「전, 이러이러한데 괜찮을까요?」「집에 어머님이……」등등. 그때마다 간단한 설명을 하지만 시간도 한정되어 있어서 충분한 대답을 하는 것은 어렵다. 또, 강의가 진행됨에 따라 인체에 대한 것을 알게되니 재미를 느껴 전문서적을 읽어보고 싶은 마음이 생기지만 아뿔사, 까다로운 내용이 너무 많아서 금방 질려버릴 것이다.

그래서 먼저 신변에 관한 화제를 시작으로 하여 해부생리학이 좋아지도록 간단하면서도 일러스트를 충분히 사용하여 이 특집호를 내놓기에 이르렀다. 실제로 지금까지 학생에게 질문을 받은 것이나 독자의 질문, 새롭게 자신의 인체에서 이상하다고 생각한 것이 있는가, 란 설문조사에서 얻은 것을 기초로 분야별로 구성하였다.

간호대학생은 여자가 많은 것도 있어서 손톱, 머리카락, 체모, 피부 등 미용에 관심이 많거나, 피부 분야나 좀체 다른 사람에게는 물어볼 수 없는 여성생식기계 등으로 조금 치우친 경향이 있지만 분명 독자인 여러분도 지금까지 이와 같은 의문을 갖고 있지 않았을까 추측해 보았다. 또, 해부생리학의 영역을 좀 초월한 것이나 아직까지 밝혀지지 않은 것도 다수 있으니 그것들도 참고하기 바란다.

또, 학년이 올라가 임상 실습에 나간 후에 「다시 한 번 해부생리학 강의를 듣고 싶다」는 말도 자주 듣는다. 분명 이것도 임상 현장에 나가서 모르는 것이 잔뜩 나오고 공부를 해나가는 과정 중에 「이거 해부생리학 교과서에 실려 있었는데?」하는 상황이 오기 때문이라고 생각한다. 실습 중인 학생들은 잠시 숨을 돌리고서라도 본서를 정독하면 좋을 것이다. 또, 해부생리 교과서가 아무래도 고충이라는 학생도 우선은 본서를 활용하면서 흥미를 갖고 공부에 정진했으면 하는 바이다.

2011년 4월

저자 대표
야마다 코지(山田晃司)

V

간호대학생을 위한 쉬운 일러스트 **해부생리학**

인체의 신비 Q&A ②

CONTENTS

집필자 일람

山田晃司 藤田保健衛生大学医療科学部
リハビリテーション学科准教授
担当項目 呼吸器／皮膚／内分泌／生殖器／加齢／免疫／その他

酒井一由 藤田保健衛生大学医療科学部
臨床工学科准教授
担当項目 脳・神経／感覚器

市野直浩 藤田保健衛生大学医療科学部
臨床検査学科講師
担当項目 消化器／循環器／体温

西井一宏 藤田保健衛生大学医療科学部
リハビリテーション学科講師
担当項目 泌尿器／骨格筋

PART 1

순환기

Q1 좋아하는 사람 앞에 있으면 심장이 두근거리는 것은 왜 그럴까?

A 심장이 자율신경에 의해 지배받고 있기 때문이다.

좋아하는 사람이 눈앞에 있거나 긴장하거나 하면 심장이 두근거리는 경험은 누구에게나 있을 것이다. 심장의 움직임은 자율신경(교감신경과 부교감신경)에 의해 지배받고 있기 때문에 자기의 의지로 컨트롤할 수 없다.

인간의 활동에는 몸을 움직이거나 대화를 하는 등 의식적인 활동과 자율신경에 지배받는 무의식적인 활동 즉 자기의 의지로 컨트롤할 수 없는 활동이 있다. 심장의 박동이나 소화, 발한 등이 무의식적인 활동에 해당된다. 좋아하는 사람 앞에 있거나 긴장할 때는 몸이 흥분 상태에 있는데 자율신경이 나중에 서술할 심장의 굴심방결절에 작용해서 심장 박동을 빠르게 하는 것이다(**그림 1**).

그러나 심장은 뇌의 활동이 정지해 있는 「뇌사」의 상태, 요컨대 자율신경의 지배를 받지 않는 상태에서도 움직일 수 있다. 왜 그런 걸까?

그것은 심장이 자발적으로 움직일 수 있기 때문이다. 심장의 오른심방에는 굴심방결절이라는 특수한 심근세포가 모여 있는데 여기에서 전기 자극을 발생시킨다. 그 자극이 심방의 위에서 아래로 또 좌우 심실로 전달됨에 따라 심장 전체를 효율적으로 움직일(수축시킨다) 수 있는 것이다. 이 전기 자극이 통하는 길을 자극전도계라고 한다.

심장은 규칙적으로 움직이고 있다. 그것은 굴심방결절이 규칙적으로 전기 자극을 발생시키고 그 자극이 자극전도계를 지나감에 따라 심장이 움직이기 때문이다. 굴심방결절이나 자극의 전달 방법에 이상이 생기면 심장의 리듬이 불규칙해진다. 이것이 「부정맥」이다.

그림 1 심장이 하는 일을 조절하는 네트워크

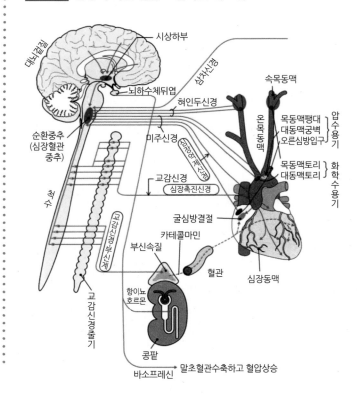

 용어 대뇌겉질(대뇌피질, cerebral cortex), 시상하부(hypothalamus), 뇌하수체뒤엽(뇌하수체후엽, posterior pituitary), 속목동맥(내경동맥, internal carotid artery), 미주신경(vagus nerve), 온목동맥(총경동맥, common carotid artery), 목동맥팽대(경동맥동, carotid sinus), 목동맥토리(경동맥소체, carotid body), 대동맥토리(대동맥소체, aortic body), 굴심방결절(동방결절, sinoatrial node), 부신속질(부신수질, adrenal medulla), 심장동맥(관상동맥, coronary artery), 교감신경줄기(교감신경간, sympathetic trunk)

Q2 진찰할 때 청진기를 대는데 무엇을 듣고 있는 걸까?

A 심장 소리나 허파 소리에 이상이 없는지 청진기로 듣고 있는 것이다.

감기에 걸려 의사의 진찰을 받을 때 가슴이나 등에 청진기를 댄다. 도대체 무슨 소리를 듣고 있는 걸까? 또, 무엇을 알 수 있는 걸까?

청진에는 심장 소리(심음이나 심잡음)나 호흡 소리 (호흡음)를 듣는 「흉부청진」과 복부 혈관음이나 장음을 듣는 「복부청진」이 있다.

여기에서는 흉부청진에 관해서 얘기하겠다.

심장 소리는 심음이라고 하는데 정상인의 심음을 청진기로 들으면 「도돗, 도돗」하고 들린다. 심음으로는 S_1음에서 S_4음까지 있는데 S_3음과 S_4음은 약하고 보통 명확하게 들을 수 있는 것은 S_1음과 S_2음이다. S_1음은 「도돗」의 처음 「도」음으로 심장 속의 방실판막 (승모판막과 삼첨판막)이 폐쇄될 때 나는 소리이다. S_1은 심첨부에서 잘들리며, S_2는 반월판막(대동맥판막과 폐동맥판막)이 폐쇄될 때 나는 소리로 심기저부에서 잘들린다(그림 1).

심음을 들을 때 「도돗, 도돗」하는 소리만 나면 좋은 데 그 사이에 「슈-」라든가 「자-」라는 소리가 들릴 경우는 뭔가 이상이 있다고 생각하지 않으면 안 된다. 그 소리는 심잡음이라 하는데 혈액의 난류에 의해 생기는 소리이다. S_1음과 S_2음 사이에 생기는 심잡음을 수축기잡음이라 하고 대동맥판막협착증이나 승모판막폐쇄부전증, 심실중격결손증 등으로 들리는 소리이다. 또, S_2음과 다음 S_1음의 사이에 생기는 심잡음은 확장기잡음이라고 해서 이것은 대동맥판막폐쇄부전증이나 승모판막협착증 등으로 들린다. 수축기와 확장기에 걸쳐서 들리는 것은 연속성잡음이라고 하는데 동맥관개존증 등일 때 들리는 심잡음이다.

다음으로 호흡음인데 호흡음이 감약·소실되어 있는 경우는 광범위한 폐렴이나 흉수, 또는 기흉일 가능성이 있다. 또, 숨을 내쉴 때 소리의 연장(호기연장)이 있는 경우는 기관지천식이나 폐쇄성폐질환이 염려된다.

그림 1 심음의 청진 부위/호흡음의 청진 부위/심전도와 심음·심잡음

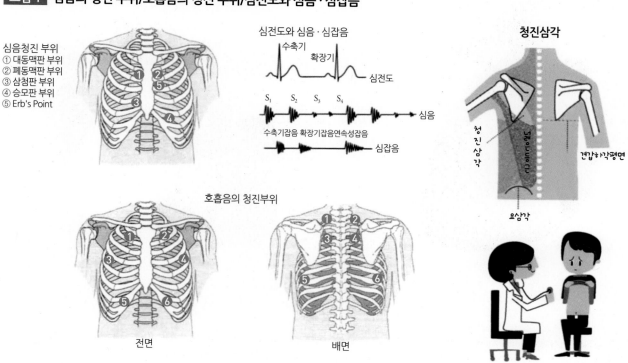

Q3 심장은 암에 걸리지 않는다고 한다. 왜 그런가?

A 심장은 세포분열을 하지 않아 암이 되기 어렵다. 그러나, 아주 드물게 암이 생길 수도 있다.

암이란 악성종양인데 정상세포가 암세포로 변화되고 그 세포가 분열을 거듭해서 비정상적으로 증식한 것을 말한다.

심장을 형성하는 심근 세포는 한 번 성장하면 그 후 세포 분열해서 증식하지 않는다. 그래서 이론적으로는 심장에 암이 생기지 않는다고 말해도 좋을 것이다. 그러나, 아주 드문 일이지만 심장에도 암이 생길 수 있다. 그 발생률을 보면 심장병 전체의 0.1%가 종양인데 악성종양(암)은 그 중의 20%에 지나지 않는다. 심장암의 대부분은 다른 장소의 암이 전이된 것으로 심장의 외측을 둘러싼 심막에 많이 발생한다.

심장병으로 주의하지 않으면 안 되는 것이 협심증이나 심근경색이다. 심장 자체에 산소나 영양을 보내는 혈관을 심장동맥이라고 하는데 심장동맥에는 전신에 사용되는 약 1/20의 혈액이 흐르고 있다(**그림 1**). 협심증은 그 심장동맥이 좁아져서 심장에 충분한 혈액을 보내지 못할 경우에 일어난다. 심근경색은 혈전 등으로 심장동맥이 완전히 막힘에 따라 일어나는 병으로 돌연사를 일으킬 가능성도 있는 대단히 위험한 병이다(**그림 2**).

어느 병이나 원인은 동맥경화이다. 동맥경화란 동맥의 벽이 두꺼워지거나 굳어지는 것으로 노환인 경우 외에 지방분이 많은 식사 습관이나 운동부족, 흡연과 음주, 스트레스 등에 따라서도 진행된다.

그림 1 심장동맥과 심장정맥

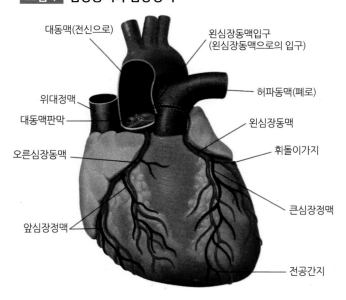

대동맥(전신으로)
왼심장동맥입구(왼심장동맥으로의 입구)
허파동맥(폐로)
위대정맥
대동맥판막
왼심장동맥
오른심장동맥
휘돌이가지
큰심장정맥
앞심장정맥
전공간지

협심증과 심근경색

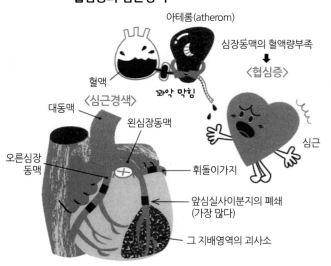

아테롬(atherom)
심장동맥의 혈액량부족
↓
〈협심증〉
혈액
꽈악 막힘
대동맥
왼심장동맥
〈심근경색〉
심근
오른심장동맥
휘돌이가지
앞심실사이분지의 폐쇄(가장 많다)
그 지배영역의 괴사소

 심장정맥(관상정맥, coronary vein), 심장동맥(관상동맥, coronary artery), 위대정맥(상대정맥, superior vena cava), 심정맥(cardiac vein), 휘돌이가지(회선지, circumflex branch of LCA), 앞심실사이분지(전실간지, anterior interventricular branch of LCA)

Q4 혈액은 어느 정도의 속도로 흐를까?

A 대동맥에서 초속 약 1m,
아래대정맥에서 초속 약 15cm의 속도로 흐르고 있다.
혈액이 몸을 일주하는 데 걸리는 시간은 약 50초이다.

혈액은 혈관 속을 흘러 몸의 구석구석까지 미친다. 그 루트는 크게 나눠서 「온몸순환」과 「허파순환」의 2종류로 나눌 수 있다(**그림 1**).

심장의 왼심실에서 솟아오른 혈액은 대동맥을 거쳐 점차 여러 갈래로 갈라지면서 좁아져 가는 동맥을 통해 몸의 구석구석까지 돌아 모세혈관에 도달한다. 거기에서 조직이나 세포에 산소나 영양을 주고 그 대신에 이산화탄소나 노폐물을 수거한다. 그 후 가는 정맥으로 들어가 점차 굵은 정맥으로 합류하면서 심장으로 돌아온다. 이 루트를 온몸순환이라고 한다.

심장으로 돌아온 혈액은 오른심실에서 허파로 보내진다. 허파에서는 이산화탄소를 방출하고 산소를 흡수하는 가스교환이 일어나는데 산소를 잔뜩 함유한 혈액은 다시 심장으로 돌아온다. 이것이 허파순환이다.

전신의 혈관을 가늘게 갈라진 모세혈관까지 일직선으로 연결하면 약 10만 km나 되는 길이이다. 이것은 지구를 두 번 반 정도 일주하는 길이이다. 혈액은 대동맥에서 초속 약 1m, 아래대정맥에서 초속 약 15cm의 속도로 흐른다. 혈액이 온몸순환을 일주하는 데 걸리는 최단 시간은 약 20초이고 허파순환인 경우는 겨우 3~4초의 속도이다. 평균적으로는 약 50초에 몸을 한 바퀴 돈다.

그림 1 온몸순환과 허파순환

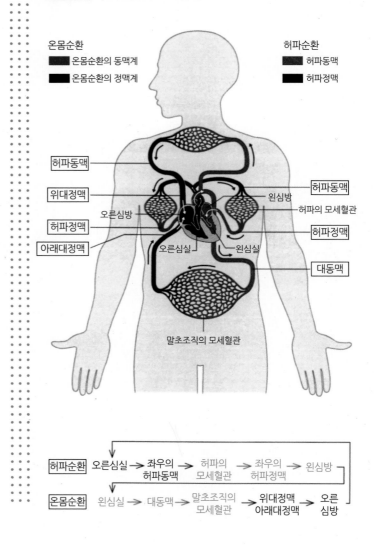

 용어 위대정맥(상대정맥, superior vena cava), 대동맥(aorta), 아래대정맥(하대정맥, inferior vena cava), 온몸순환(체순환, systemic circulation) 허파순환(폐순환, pulmonary circulation), 허파동맥(폐동맥, pulmonary artery), 허파정맥(폐정맥, pulmonary vein), 왼심실(좌심실, left ventricle), 오른심실(우심실, right venticle), 오른심방(우심방, right atrium), 왼심방(좌심방, left ventricle), 동맥혈(arterial blood), 정맥혈(venous blood)

Q5 피부에 비쳐 보이는 혈관은 왜 파란 것인가?

A 피부에 비쳐 보이는 혈관은 대부분이 정맥이다.
정맥혈은 산소량이 적기 때문에 어두운 적색을 띠고 있다.
그것이 피부를 통해 비치기 때문에 파랗게 보이는 것이다.

피의 색깔이 붉다는 것은 누구라도 알고 있지만 같은 붉은색이라도 선명한 붉은색과 어두운 붉은색이 있다는 것은 모른다. 그 색깔의 차이는 동맥혈과 정맥혈에 의한 것이다. 먼저, 동맥혈과 정맥혈의 차이를 설명하자.

혈관은 동맥, 정맥, 모세혈관으로 크게 나눌 수 있다. 심장에서 솟아나온 혈액은 굵은 동맥에서 점차 가는 동맥으로 흐르고 모세혈관에 도달한다. 거기에서 세포에 산소와 영양을 공급한다. 그 후, 정맥으로 흘러들어가 다시 심장으로 돌아온다. 심장으로 돌아온 정맥혈은 허파로 보내지고 거기에서 산소를 대량으로 흡수하여 심장으로 돌아온다(**그림 1**). 결국 동맥을 흐르는 동맥혈에는 산소가 많이 함유되어 있지만 정맥을 흐르는 정맥혈에는 산소가 거의 없다.

혈액이 빨갛게 보이는 것은 적혈구 속에 함유된 헤모글로빈이라는 물질 때문이다. 헤모글로빈은 헴이라는 색소와 글로빈이라는 단백질로 만들어졌는데 이 헴이 피의 붉은색의 원인이다. 헤모글로빈은 산소를 품으면 선명한 붉은색이 되고 이산화탄소를 품으면 어두운 붉은색이 된다. 결국 산소를 많이 함유한 동맥혈은 선명한 붉은색이고 산소를 거의 갖고 있지 않은 정맥혈은 어두운 붉은색을 띠고 있다.

피부 아래에 비쳐 보이는 혈관은 대부분이 정맥으로 산소량이 적어 어두운 붉은색을 띤 정맥혈이 흐르고 있다. 그것을 피부를 통해 보기 때문에 파랗게 보이는 것이다. 동맥은 정맥보다 깊은 곳을 지나가기 때문에 피부 밑으로 비치는 일이 없다.

그림 1 **동맥혈과 정맥혈의 차이**

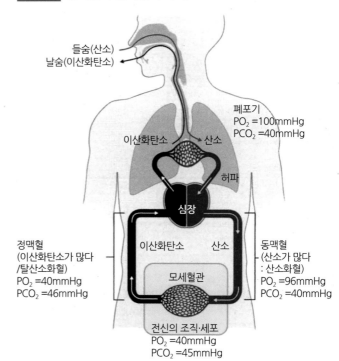

들숨(산소)
날숨(이산화탄소)

폐포기
$PO_2 = 100mmHg$
$PCO_2 = 40mmHg$

이산화탄소　산소

허파

심장

정맥혈
(이산화탄소가 많다
/탈산소화혈)
$PO_2 = 40mmHg$
$PCO_2 = 46mmHg$

이산화탄소　산소

모세혈관

동맥혈
(산소가 많다
: 산소화혈)
$PO_2 = 96mmHg$
$PCO_2 = 40mmHg$

전신의 조직·세포
$PO_2 = 40mmHg$
$PCO_2 = 45mmHg$

Q6 심장에서 보내온 혈액은 어디로 얼마만큼 흘러가는 걸까?

A 심장에서 보내온 혈액은 뇌로 15% 심장(심근)으로 5%, 간과 소화관으로 25%, 콩팥으로 20%, 근육으로 20%, 피부로 5%의 비율로 흘러간다.

안정된 상태에서 심장이 한 번 수축하면 60~80mL의 혈액이 대동맥으로 보내진다. 이것을 일회박출량이라고 한다. 1분간에 해당되는 양을 심박출량이라 하고 심박수를 60회/분으로 하면 약 5L라고 할 수 있다. 1시간당 환산하면 약 300L, 하루당 7,200L가 되는데 심장은 쉴 틈 없이 실로 많은 혈액을 내보내고 있는 것이다.

그럼, 심장에서 대동맥으로 보낸 혈액은 「어디로, 얼마만큼」 흘러간 것일까? 안정된 상태일 경우는 뇌로 15%, 심장(심근)으로 5%, 나머지 10%는 뼈나 생식기 등 그 외의 다른 부분으로 흘러간다(**그림 1**).

그러나 운동 시에는 그 양상이 다르다. 운동 시에는 몸이 많은 에너지원(포도당)이나 산소를 필요로 하기 때문에 맥박은 빨라지고 호흡수도 증가한다. 심장은 내보내는 혈액량을 매분 5~30L 사이로 조절하는 능력이 있어서 운동 시에는 보다 많은 혈액을 내보낸다. 또, 혈액의 배분도 달라진다. 안정 상태에서는 근육 20%, 피부 5%였던 혈액의 배분이 운동 시에는 근육과 피부에 합쳐서 80~85%나 되는 혈액이 배분된다. 그때 뇌로는 4%, 간과 소화기로는 5%, 콩팥으로는 5%가 되는 등 필요한 부분에 많은 혈액을 내보내도록 혈액분배가 조절된다.

그림 1 **혈액분배**

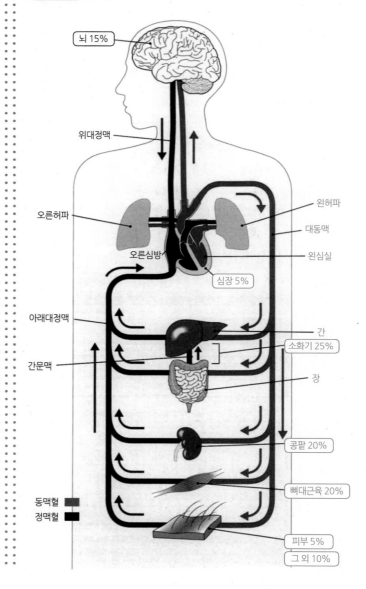

뇌 15%
위대정맥
오른허파
오른심방
심장 5%
아래대정맥
간문맥
동맥혈
정맥혈
왼허파
대동맥
왼심실
간
소화기 25%
장
콩팥 20%
뼈대근육 20%
피부 5%
그 외 10%

용어 위대정맥(상대정맥, superior vena cava), 아래대정맥(하대정맥, inferior vena cava), 오른허파(우폐, right lung), 왼허파(좌폐, left lung), 오른심방(우심방, right lung), 왼심실(좌심실, left ventricle), 간문맥 (Hepatic portal vein)

Q7 헌혈은 1회에 400mL인데 어느 정도까지 괜찮을까?

A 일반적으로 체중의 10% 이내의 혈액량이면 괜찮지만 헌혈에는 기준이 있다.

일본의 경우 적십자사가 정한 현재의 헌혈 기준으로는 전혈 헌혈인 경우 1회의 헌혈량은 200mL와 400mL가 있다. 그 헌혈 기준에는 1회 헌혈량만이 아니고 몇 개의 조건이 있다(**표 1**). 그중에 「체중」이라는 항목이 있는데 200mL의 전혈 헌혈인 경우 남성 45kg 이상, 여성 40kg 이상, 400mL인 경우는 남녀 모두 50kg 이상으로 되어있다. 요컨대, 헌혈량은 체중과 관계가 있다고 할 수 있다.

체내의 전 혈액량은 체중의 약 1/13이라 하고 남성이 체중의 약 8%, 여성이 약 7%에 해당된다. 결국 남성은 체중 1kg당 80mL, 여성은 70mL의 혈액이 있는 셈이다. 그래서 체중 60kg의 성인 남성의 전 혈액량은 4,800mL가 되어 약 5L의 혈액이 체내에 있다고 할 수 있다.

체내의 혈액량의 10%(500mL) 이내의 손실이라면 맥박수가 조금 증가하는 정도이다. 그러나 10% 이상이 되면 여러 가지의 변화가 나타난다. 10~20%(500~1,000mL)에서는 현기증이 일어나고, 20%가 갑자기 소실되면 출혈성쇼크라는 중태에 빠지게 된다. 또, 피부색은 창백하고 혈압도 저하된다. 급격하게 30% 이상의 혈액을 잃으면 의식 장해나 고도의 혈압저하가 일어나고 생명의 위험이 커진다.

결국 헌혈의 양은 체중의 10%까지라면 괜찮다는 기준을 만들어 400mL로 정한 것이다.

표 1 일본에서 뇌사의 판정 기준

	성분헌혈		전혈헌혈	
	혈장성분헌혈	혈소판성분헌혈	200mL헌혈	400mL헌혈
1회헌혈량	600mL 이하 (순환 혈액량의 12% 이내)	400mL 이하	200mL	400mL
연령	18세~69세※	18세~54세	16~69세※	18세~69세※
체중	남성45kg 이상·여성40kg 이상			남녀모두50kg 이상
최고혈압	90mmHg 이상			
혈액비중 등	혈액비중 1.052 이상 또는 혈액소량 12g/dL 이상 (적혈구지수가 표준역에 있는 여성은 11.5g/dL 이상)	혈액비중 1.052 이상 또는 혈액소량 12g/dL 이상	혈액비중 1.052 이상 또는 혈색소량 12g/dL 이상	혈액비중 1.053 이상 또는 혈색소량 12.5g/dL 이상
혈소판수	—	15만/µL 이상 60만/µL 이하	—	—
연간헌혈회수	혈소판성분 헌혈 1회를 2회분으로 환산해서 혈장성분헌혈과 합계로 24회 이내		남성 6회이내 여성 4회이내	남성 3회 여성 2회
연간총헌혈량	—	—	200mL헌혈과 400mL헌혈을 합쳐 남성 1,200mL 이내 여성 800mL 이내	

※ 65세 이상의 헌혈에 관해서는 헌혈하시는 분의 건강을 고려해서 60세~65세 사이에 헌혈경험이 있는 분으로 한정한다.

memo

Q8 맥이 만져지는 장소는 엄지손가락의 뿌리 부분 외에 어디에 있나?

A 목의 양쪽이나 팔꿈치 안쪽 부분, 다리 시작부분의 앞쪽 부분 등 동맥이 몸의 표면과 가까이 지나가는 곳에서 맥이 만져진다.

한 번 정도는 스스로의 맥을 짚어본 적이 있을 것이다. 손목 안쪽의 한가운데에서 엄지손가락 쪽에 가까운 부분에서 맥이 잡힌다. 이것은 동맥을 짚어서 그 박동을 느끼는 것이다.

피부로 비쳐 보이는 혈관의 대부분은 정맥인데 동맥은 그것보다도 깊은 곳을 지나간다. 그러나, 몸 표면에 가까운 곳을 지나는 부분에서는 그 박동을 느낄 수 있다(**그림 1**). 그 하나가 손목 부분(노동맥)이다.

그 이외에 맥이 만져지는 장소로써 목 부분이 있다. 목 양쪽에는 뇌에 혈액을 보내는 목동맥이 있다. 정확히 목이 시작되는 밑 부분에서 박동을 느낄 수 있다. 영화나 드라마 등에서 생사를 확인하기 위해 목 부분을 만져보는 장면이 있는데 그것은 목동맥의 박동의 유무를 확인하고 있는 것이다. 또, 유도에서 조르기를 당한 선수가 의식을 잃어버릴 때가 있다. 유도에서는 「기절한다」고 하는데 이것은 목동맥의 압박에 의해 뇌가 산소결핍 상태가 되기 때문에 의식을 잃는 것이다.

손목이나 목 이외에도 팔꿈치 안쪽 부분(위팔동맥)이나 다리가 시작되는 부분의 앞쪽부분(넙다리동맥) 등에서도 맥을 만질 수가 있다.

동맥은 그 굵기에 따라 대동맥, 동맥(중동맥), 세동맥으로 분류되는데 각각 갖고 있는 기능이 다르다. 가장 굵은 대동맥은 탄력혈관이라고도 부른다. 심장 왼심실의 수축기혈압/확장기혈압은 120/5mmHg인데 대동맥에서는 120/80mmHg 가 되어 압력차가 작아진다. 이것은 혈관의 탄력에 의한 것으로 이것에 의해 말초조직으로 혈류가 평활화된다. 중간동맥은 근육형

혈관이라 불리는데, 혈관의 탄력 섬유가 줄고 민무늬 근육이 늘어나기 때문이다. 세동맥에서는 혈압의 감소가 특히나 크고 저항이 큰 것에서 저항혈관이라고도 한다.

그림 1 맥박이 만져지는 동맥

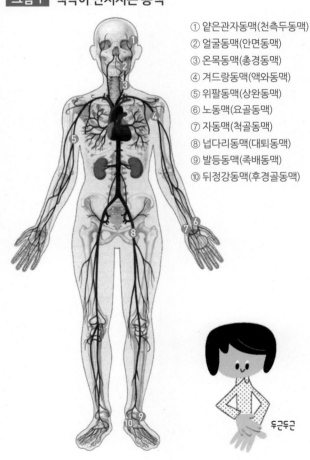

① 얕은관자동맥(천측두동맥)
② 얼굴동맥(안면동맥)
③ 온목동맥(총경동맥)
④ 겨드랑동맥(액와동맥)
⑤ 위팔동맥(상완동맥)
⑥ 노동맥(요골동맥)
⑦ 자동맥(척골동맥)
⑧ 넙다리동맥(대퇴동맥)
⑨ 발등동맥(족배동맥)
⑩ 뒤정강동맥(후경골동맥)

두근두근

용어 얕은관자동맥(천측두동맥, superficial temporal artery), 얼굴동맥(안면동맥, facial artery), 온목동맥(총경동맥, common carotid artery)
겨드랑동맥(액와동맥, axillary artery), 위팔동맥(상완동맥, brachial artery), 노동맥(요골동맥, radial artery), 자동맥(척골동맥, ulnar artery),
넙다리동맥(대퇴동맥, femoral artery), 발등동맥(족배동맥, dorsalis pedis artery), 뒤정강동맥(후경골동맥, posterior tibial artery)

Q9 손가락 끝을 칼로 베었을 때는 손가락 뿌리 부분을 쥐면 좋을까?

A 상처가 난 부분을 직접 압박해서 지혈하지 않는 경우는 손가락 뿌리 부분을 쥐는 간접압박지혈법으로 지혈하자.

칼로 손끝을 베었을 때 여러분은 어떻게 지혈을 하는가? 베인 부분을 잠시 눌러서 지혈을 하는 사람이 많지 않을까. 이와 같은 지혈방법을 직접압박지혈법이라고 한다. 살짝 베인 상처나 스친 상처, 정맥성 출혈이나 모세혈관성 출혈을 지혈할 때 유효한 방법이다.

직접압박지혈법으로 지혈할 수 없는 경우에는 간접압박지혈법이라는 방법이 있다. 이것은 출혈이 심장박동과 연동해서 분출하는 동맥성출혈 등 깊게 베인 상처일 때 유효한 방법이다. 상처부위를 직접 압박하는 것이 아니고 상처와 심장 사이의 「혈액의 흐름을 멈출 수 있는 점」을 압박하여, 상처 쪽으로 혈액이 흘러가지 않도록 하여 지혈하는 방법이다. 혈액의 흐름을 멈출 수 있는 점은 어디나 되는 건 아니고 예를 들면 위팔의 출혈이라면 겨드랑이 밑(겨드랑동맥)을 누른다, 팔꿈치보다 아래의 출혈이라면 알통 바로 밑(위팔동맥)을 누른다는 것처럼 적절한 위치가 있다(**그림 1**).

손가락 끝을 다쳐 직접압박을 해도 좀체 피가 멈추지 않는 경우는 간접압박지혈법으로 지혈하자. 손가락의 동맥(바닥쪽손가락동맥)은 손가락의 뿌리가 있는 곳에서 두 갈래로 나뉘어져 각각의 손가락으로 뻗어 있다. 즉 하나의 손가락에 대해서 두 개의 동맥이 있는 것이다. 그래서 간접압박법으로 지혈할 경우는 손가락의 뿌리 부분을 양쪽에서 집고 강하게 압박할 필요가 있다.

그림 1 간접압박지혈법의 압박부위

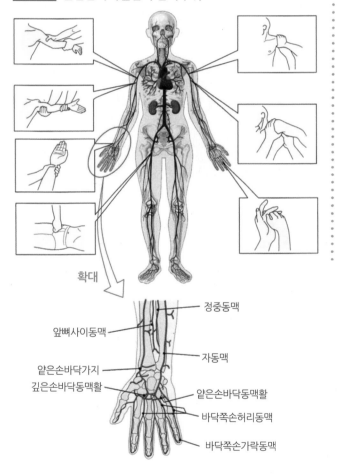

확대

정중동맥
앞뼈사이동맥
자동맥
얕은손바닥가지
깊은손바닥동맥활
얕은손바닥동맥활
바닥쪽손허리동맥
바닥쪽손가락동맥

용어 앞뼈사이동맥(전골간동맥, anterior interosseous artery), 정중동맥(median artery), 얕은손바닥가지(천장지, superficial palmar branch),
깊은손바닥동맥활(심장동맥궁, deep palmar arch), 자동맥(척골동맥, ulnar artery), 얕은손바닥동맥활(천장동맥궁, superficial palmar arch),
바닥쪽손허리동맥(장측중수동맥, palmar metacarpal arteries), 온바닥쪽손가락동맥(총장측지동맥, common palmar digital artery)

Q10 초콜릿을 많이 먹었는데 왜 코피가 나는 걸까?

A 의학적으로는 초콜릿과 코피는 관계가 없다.

코피란 비강에서 출혈하는 것을 말하는데 의학적으로는 비출혈이라고 한다. 비출혈의 대부분은 비중격의 전방에 있는 키젤바흐 부위(코에 손가락을 넣으면 피부에서 점막으로 변화되는 부드러운 부분, **그림 1**)에서 나는 출혈이다. 이 부위에는 모세혈관이 풍부하게 분포해 있는데 표면은 얇은 점막이다. 또, 코의 입구이기 때문에 상처가 생기기 쉬워서 출혈이 일어나는 것이다.

그런데 초콜릿을 많이 먹으면 코피가 난다고 하지만 의학적으로는 초콜릿과 코피는 관계가 없다.

초콜릿 속에는 커피 등에 함유된 카페인이라는 물질이 조금 함유되어 있다. 밤에 자기 전에 커피를 마시면 잠이 안 온다고 하는데 그것은 카페인 자체에 흥분시키는 작용이 있기 때문이다. 초콜릿을 많이 먹으면 커피를 마실 때와 똑같이 몸이 흥분 상태가 되고 그 결과 혈행이 좋아져서 코를 쥐거나 지나치게 후비거나 하므로 상처가 난 경우에는 코피가 날 수도 있다.

비출혈이 일어났을 때 어떻게 지혈을 하는가? 티슈 등을 넣어서 지혈하는 것은 그것을 뺄 때에 또 상처가 날 가능성이 있다. 그리고 위를 향해 뒷목을 때리는 방법도 코피를 마시게 될 뿐이고 두드려도 비출혈은 멈추지 않는다. 바른 비출혈의 지혈 방법은 상체를 일으켜서 앉은 자세를 취하고 코피가 목으로 넘어가지 않도록 하기 위해 얼굴을 약간 아래로 향하고 코 영역의 동맥이 통하는 코 밑 쪽을 엄지와 검지로 양쪽에서 잡고 5~10분 정도 압박 지혈한다(**그림 2**).

비출혈은 동맥경화나 신성고혈압증, 백혈병이나 혈우병 등의 혈액질환, 악성종양 등의 병에 의해서도 일어난다. 빈번하게 코피가 나온다 싶으면 한 번 이비인후과 등에서 진찰을 받아 보도록 하자.

그림 1 키젤바흐 부위(kiesselbach's area)

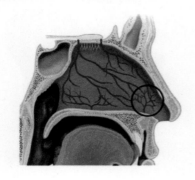

그림 2 바른 코피 지혈법

Q11 상처가 나면 「딱지」가 생기는 것은 왜일까?

A 손상된 혈관의 상처 부위를 막고 지혈을 하기 위해서이다.

실수로 칼에 손가락이 베이면 출혈은 되지만 계속해서 피가 흐르는 것은 아니고 조금 있으면 멈춘다. 이것은 혈액속의 혈소판과 혈장에 포함되어 있는 혈액응고인자라는 12종류 단백질의 작용 때문이다.

혈액속에 있는 혈소판은 혈관에 손상이 생기면 그 부분에 차차 모여들어 상처 부위를 방어하듯이 달라붙

는다. 혈소판이 덩어리가 되어 상처부위를 막으면 덩어리 속의 혈소판은 서로 융합하여 틈이 없는 혈소판혈전증이 형성된다. 또, 혈소판에서 방출된 세로토닌 등의 물질이 상처 주위의 혈관을 수축시켜 상처를 작게 하려고 한다. 게다가 혈소판에서 혈액응고인자가 방출된다. 이와 같이 지혈을 하기 위해 점차 연쇄적인 작용이 일어나는 것이다. 그 결과 혈장 속의 피브린이라는 단백질이 혈소판혈전을 에워싸고 보다 견고한 혈전(혈병)이 형성된다. 그리고 피브린으로 단단해진 혈병에서 혈청이 나와 탄력 있는 혈병이 형성되고 완전히 지혈 된다. 최종적으로 형성된 혈병이 「딱지」이다 (**그림 1**).

혈액응고인자의 결손이나 이상이 있으면 앞에서 말한 반응이 잘 이뤄지지 않아 혈액 응고가 어렵게 된다. 혈우병은 그 대표적인 병으로 혈액응고인자(제Ⅷ인자 또는 제Ⅸ인자)의 결손이나 활성저하가 원인인 유전성혈액응고이상증인데 한 번 출혈하면 좀체 지혈되지 않는다.

그림 1 출혈이 멈추는 과정

상처부위
혈소판
적혈구
출혈

상처부위를 작게 한다.

혈소판이 달라붙어 덩어리를 만든다.

혈전이 되어 출혈이 멈춘다.

memo

Q12 냉한 사람은 모세혈관이 소멸한 것인가?

A 모세혈관이 소멸한 것은 아니고 모세혈관을 흐르는 혈액이 적어진 것이다.

냉한 체질이라는 대부분의 사람이 「손발이 항상 차다」라고 한다. 요컨대 피부온도가 저하된 것이다. 피부온도의 저하는 혈류 저하(혈행불량)가 원인이다.

수족의 피부혈관은 동정맥문합이 발달되어 있어서 모세혈관과 동정맥문합 두 개의 피부혈류로 조절되고 있다. 동정맥문합이란 동맥과 정맥이 작은 혈관에서 직접 연락하는 것이다. 자율신경(교감신경)에 의해 지배되어 기온이 내려간 경우에는 체온의 손실을 막기 위해 동정맥문합이 열리고 그것보다 앞서 체표면에 가까운 모세혈관으로 많은 혈액이 흘러가지 않도록 한다 (그림 1).

피부온도가 저하될 때는 피부의 모세혈관이 수축하고 동정맥문합도 열려서 모세혈관으로 혈액이 흐르지 못하는 상태가 된다. 그 모습을 마이큐레이터(미소순환을 영상으로써 관찰할 수 있는 장치)라는 장치로 보면 혈류가 약하기 때문에 마치 모세혈관이 소멸한 것처럼 보인다. 그러나, 실제로 소멸했을 리는 없다. 입욕이나 마사지 등으로 혈행상태를 좋게 하면 바로 모세혈관을 확인할 수 있다.

추울 때 입술이 보랏빛으로 되는 것은 동정맥문합이 열려 입술 표면까지 가는 동맥혈이 부족해지기 때문이다.

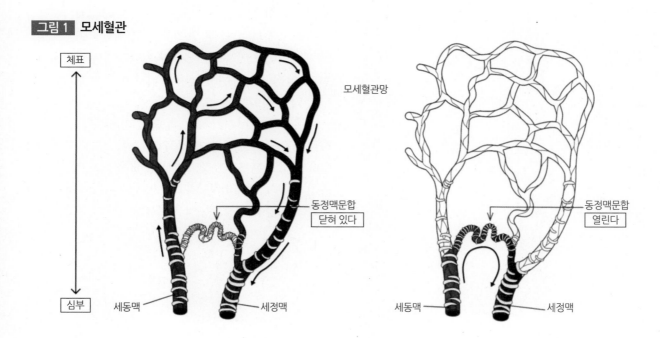

그림 1 모세혈관

체표 / 심부 / 세동맥 / 세정맥 / 동정맥문합 닫혀 있다 / 모세혈관망 / 동정맥문합 열린다 / 세동맥 / 세정맥

용어 세동맥(arteriole), 세정맥(venule), 미소순환(microcirculation)

Q13 여성에게 저혈압이나 냉한 체질이 많은 것은 왜 그럴까?

A 저혈압에는 여성호르몬이 관계있고 냉한 체질에 관해서는 여성의 신체구조가 관계되어 있다.

저혈압의 원인은 심장에서 보내진 혈액량(심박출량)의 감소, 전신을 순환하는 혈액량(순환혈액량)의 감소, 그리고 말초혈관의 확장에 따른 혈관저항의 감소 등을 생각할 수 있다(**그림 1**).

그럼 왜 남성보다 여성에게 저혈압이 많은 걸까?

한 가지 이유로써 여성호르몬에 의한 혈관의 확장작용이 있다. 체내의 일산화질소는 내인성혈관확장물질이라고 하는데 혈관을 확장시키는 중요한 물질이다. 여성호르몬인 난포호르몬(에스트로겐)은 이 일산화질소의 합성을 돕는 작용을 한다. 즉, 여성은 여성호르몬의 작용에 의해 말초혈관이 확장되기 쉽기 때문에 남성에 비해 저혈압이 많은 것이다.

다음으로 냉한 체질에 관해서이다. 냉한 체질을 「냉증」이라고 쓰지 않은 것은 냉한 체질 자체가 병이 아니기 때문이다. 현재 서양의학에서는 명확한 「냉한 체질 검사법이나 치료법」은 없다. 또, 냉한 체질의 정의도 확실히 정해져 있지 않다.

냉한 체질은 남성보다 여성에게서 많이 볼 수 있지만 그것은 몸의 구조적인 차이에 이유가 있다.

냉한 체질의 큰 원인은 열의 생산 부족과 혈행 불량이다. 몸의 약 6할의 열을 생산하는 것은 근육인데 여성이 남성에 비해 근육량이 적기 때문에 아무래도 열량부족이 되거나 평열이 낮아지는 경향이 있다. 또 여성에게 많은 저혈압일 경우 혈액을 순환시키는 힘이 적기 때문에 혈행 불량을 초래하기 쉽고 게다가 빈혈까지 있으면 몸의 세포에 충분한 산소가 공급되지 않는다. 또, 여성의 경우 좁은 골반 내에 자궁이나 난소 등의 장기가 들어앉아 있기 때문에 그 부분의 혈행도 나빠지는 경향이 있다. 그리고, 여성호르몬의 불균형이 체온이나 혈압을 컨트롤하는 자율신경에 영향을 미친다. 이러한 이유에서 남성에 비해 여성에게 냉한 체질이 많은 것이다.

체온이 1℃ 내려가기만 해도 면역력은 약 40% 저하된다고 알려져 있다. 또, 몸의 기능을 유지하기 위해 필요한 효소는 37℃ 정도에서 가장 효율적으로 작용하기 때문에 체내의 온도가 낮으면 효소의 작용이 활성화되지 않아 내장기능의 저하를 초래한다.

그림 1 혈압을 증가시키는 인자의 개요

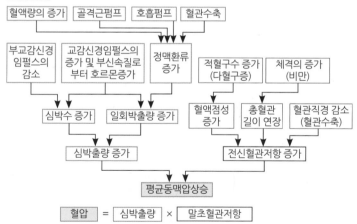

용어 부신속질(부신 수질, adrenal medulla), 다혈구증(polycythemia)

Q14 혈액은 어디에서 만들어지고 어디에서 파괴되는가?

A 혈액은 뼈 안의 골수에서 만들어지고 지라에서 파괴된다.

혈액은 뼈 안에 있는 골수에서 만들어진다. 골수란 뼈의 중심에 있는 공간이나 해면 모양의 공간을 채우는 젤리모양의 조혈조직을 말하는데 혈액을 만드는 「적색골수」와 해를 거듭하여 혈액을 만드는 기능을 상실하고 지방으로 교체된 「황색골수」가 있다. 적색골수에서는 먼저 조혈줄기세포가 만들어지고 그것이 적혈구, 백혈구, 혈소판 등으로 분화해 간다. 매일 약 2,000억 개나 되는 적혈구를 비롯하여 백혈구, 혈소판이 만들어지는데 이들 혈구는 뼈 안의 모세혈관으로 들어가 전신으로 운반된다.

혈액은 모든 뼈에서 만들어지는 것은 아니다. 신생아 때는 전신의 골수에서 만들어지지만 성인이 되고 나면 복장뼈, 갈비뼈, 골반, 척주 등의 골수로 한정된다(**그림 1**).

그럼 만들어진 혈구는 마지막에는 어떻게 될까? 혈구에는 수명이 있어서 적혈구는 만들어진 지 100~120일 정도, 백혈구는 3~5일 정도, 그리고 혈소판은 7~14일 정도로 어느 것이나 짧은 게 특징이다.

전신을 돌며 여러 가지 작용을 하는 혈구지만 수명을 다하면 마지막으로는 지라을 찾아 간다(**그림 2**). 거기에서 백혈구의 일종인 큰포식세포에 의해 분해된다. 단, 백혈구의 일부는 몸의 여러 곳에서 분해되고 적혈구는 간에서도 분해된다.

뼈에는 혈액을 만드는 조혈기능 외에 칼슘이나 인을 축적하는 작용도 있다. 특히 칼슘은 99%가 뼈 속에 축적되어 있어서 혈액 속의 칼슘이 부족하면 뼈에서 공급하는 구조로 되어 있다.

그림 1 혈구의 생성

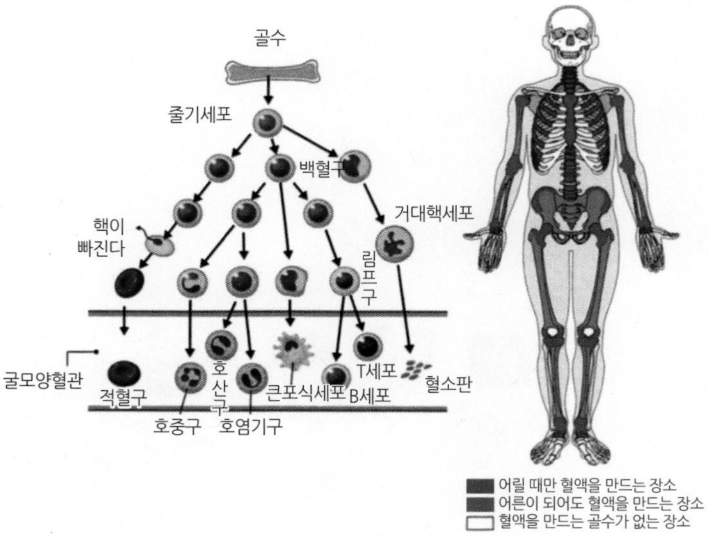

그림 2 적혈구의 분해

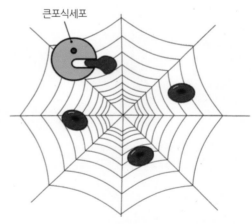

지라의 내부는 입체적인 거미줄 같은 세망조직이다. 오래 된 적혈구의 세포막은 점성을 띠기 때문에 이 사이를 빠져나가지 못하고 걸려든다. 그리고 큰포식세포에게 탐식되어 분리된다.

용어 큰포식세포(대식세포, macrophages), 골수(bone marrow), 줄기세포(stem cell), 거대핵세포(megakaryocyte), 굴모양혈관(굴맥관, sinosoids), 지라(비장, spleen)

Q15 빈혈은 왜 일어날까?

A 적혈구를 만들기 곤란한 경우나 적혈구의 수명이 짧아진 경우 또, 병에 의해 만성적으로 출혈하는 경우에 일어난다.

빈혈(anemia)이란 혈액속의 적혈구가 기준치(남성 약 500만 개/μL, 여성 약 450만 개/μL)보다도 감소한 상태를 말한다. 적혈구는 전신의 세포에 산소를 운반하는 작용을 하고 있다. 그 역할을 담당하고 있는 것이 적혈구에 포함된 헤모글로빈이라는 물질이다. 적혈구가 감소하면 충분한 산소를 운반할 수 없게 되고 체내의 세포가 산소부족 상태가 되기 때문에 피로, 힘 빠짐, 안색이 나빠지는 등 여러 가지 증상이 나타난다.

빈혈은 적혈구가 감소하므로 나타나지만 그 원인은 크게 3가지로 나눌 수 있다. 첫 번째는 적혈구가 충분한 양을 만들지 못하는 경우이다. 빈혈 환자의 약 70%를 차지하는 철결핍성 빈혈이 이에 해당된다(**그림 1**). 철은 헤모글로빈의 합성에 필수불가결한 물질인데 이것이 부족하면 충분한 헤모글로빈 합성이 일어나지 않

는다. 철 이외에도 적혈구를 만들 때 필요한 것으로써 비타민 B_{12}나 엽산 등이 있는데 이것이 부족해도 충분히 적혈구를 만들지 못해서 빈혈이 된다. 또, 조혈줄기세포에 장해가 있어서 적혈구를 만들지 못하는 재생불량성빈혈도 이에 해당된다. 두 번째는 적혈구의 수명이 짧아진 경우이다. 적혈구가 파괴되어 일어나는 용혈성빈혈이 이에 해당된다. 세 번째는 체내의 어딘가에서 만성적인 출혈이 일어나는 경우이다.

빈혈은 남성보다 여성에게 많이 나타나는데 여성의 100%가 빈혈이라고 한다. 그 이유로써 여성은 생리에 의해 매달 혈액을 내보낸다. 또, 남성의 경우는 남성호르몬이 조혈인자인 에리스로포에친이라는 물질의 생산을 촉진시키고 이 에리스로포에친이 골수의 조혈줄기세포에 작용하여 적혈구를 많이 만들도록 지시를 내린다는 것도 이유 중의 하나이다.

철결핍성 빈혈은 매일의 식생활에서 철을 섭취하므로 예방할 수 있다. 그때는 철의 흡수를 돕는 단백질이나 비타민 C도 동시에 섭취해야 한다.

그림 1 철결핍성 빈혈이 일어나는 구조

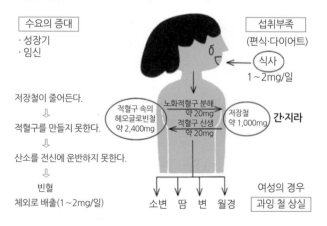

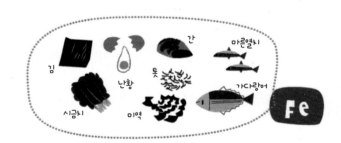

memo

Q16 왜 발이 붓는 걸까?
어떻게 치료할 수 있을까?

A 발의 정맥혈이 정체됨에 따라 조직 사이질액이 쌓이면서 일어난다.
발의 혈행을 좋게 함으로써 개선할 수 있다.

우선 처음에「붓는다」는 것은 어떤 상태인지를 설명하겠다. 간단히 말하면 혈관 외의 조직 사이에 쓸데없는 수분(혈장)이 쌓인 상태를 말한다. 이것은 모세혈관과 조직 사이에서 체액의 교환이 원활하게 이루어지지 않기 때문에 일어난다.

심장에서 나온 혈액은 동맥에서 모세혈관을 거쳐 정맥으로 흘러간다. 발의 정맥혈은 중력과 거꾸로 아래쪽에서 위쪽의 심장으로 돌아가지 않으면 안 된다. 그 펌프 역할을 하고 있는 것이 발의 근육이며, 도움을 주는 것이 정맥 특유의 판막이다. 발의 근육이 수축·이완함에 따라 정맥의 혈관을 압박하고 그것에 의해 혈액은 심장으로 돌아간다(**그림 1**).

하루 종일 책상 컴퓨터 앞에 앉아 일을 하면 발근육의 수축이 원활하지 않기 때문에 정맥내에 혈액이 고인다. 그 결과 정맥 내압이 높아지고 정맥에서 조직으로 혈장이 밀려나 조직 사이질액이 쌓이게 된다. 또, 림프액도 똑같이 정체되기 때문에 그 결과 발에 부종이 생긴다(**그림 2, 3**).

그래서 하루 종일 앉아 일을 하는 사람은 때때로 가벼운 스트레치 등의 운동을 해서 몸을 움직이고 근육을 움직이도록 해야한다. 귀가 후에는 마사지나 목욕으로 몸을 따뜻하게 해서 혈행을 좋게 하는 것도 부종 해소에 좋은 방법이다.

발에 정맥혈이 정체된다는 것은 부종만이 아니고 혈전(thrombus)이 쉽게 형성되는 상태라고도 할 수 있다. 특히 국제선 비행기 등 장시간 앉은 채로 수분 공급을 소홀히 하면 혈전이 생길 수 있고 이것이 혈류에 의해 운반되어 허파동맥에서 막히면 폐색전증이 되어 호흡곤란을 일으킨다. 이것을 이코노미크라스 증후군(economy class syndrome)이라고 한다.

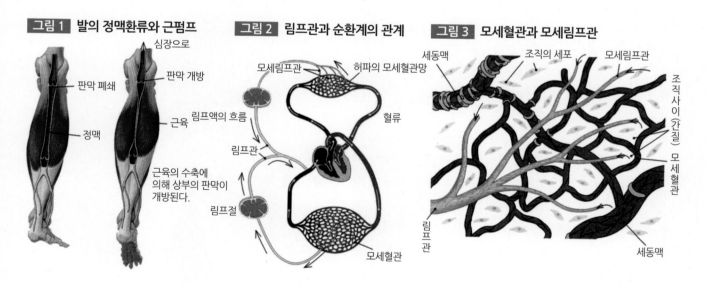

그림 1 발의 정맥환류와 근펌프

심장으로
판막 폐쇄
판막 개방
근육
정맥
근육의 수축에 의해 상부의 판막이 개방된다.

그림 2 림프관과 순환계의 관계

모세림프관
허파의 모세혈관망
림프액의 흐름
혈류
림프관
림프절
모세혈관

그림 3 모세혈관과 모세림프관

세동맥
조직의 세포
모세림프관
조직 사이(간질) 모세혈관
림프관
세동맥

용어 사이질액(간질액, interstitial fluid)

Q17 일어나면 얼굴이 부어 있을 때가 있는데 왜 그럴까?

A 부종의 원인으로는 림프관의 수축, 수분의 과잉공급, 림프 흐름 자체의 정체 등이 있다.
술이나 염분, 근육 뭉침이나 긴장, 잠을 자는 자세 등이 원인이다.

수분의 과잉공급은 남은 수분이 몸에 쉽게 쌓여「부종」으로 연결된다. 그러나, 그것은 수분이 모두 배출되지 않았을 경우이다.「화장실에 자주 가지 않는다」「땀을 별로 흘리지 않는다」등 몸 밖으로 수분이 나가지 않으면 당연히 남는 수분은 쌓이게 된다. 또, 술을 너무 마시거나 다량의 염분 섭취에도 주의해야 한다. 알코올은 동맥을 확장시켜 혈액이 계속 흘러가 혈관 벽으로 다량의 혈장이 빠져 나가지만 그것을 회수하기가 어렵게 된다. 알코올은 과잉 섭취하면 이뇨작용에 의해 탈수증상을 일으킬 수 있다. 탈수로 혈액의 농도가 높아지고 그것을 묽게 하기 위해 혈관으로 수분이 모여들어와 반대로「부종」의 원인이 된다. 또,「술안주」는 염분 농도가 높아 맛이 강한 것이 많기 때문에 혈액 속의 염분농도가 올라가고 그것을 내리기 위해 혈액 속에 수분을 끌어들여 수분 과잉이 된다.

림프관은 정맥과 비슷해서 전신에 공급된 후 심장으로 돌아올 때 근육 수축의 도움을 받아 흘러간다(**그림 1**). 근육이 뭉치거나 긴장으로 딱딱해져 있으면 수축을 할 수 없게 되어서 림프의 흐름은 정체된다. 혈장이 림프관으로 들어가려고 해도 들어갈 수 없고 그것이 수분으로서 쌓여 부종이 발생한다. 림프관 자체는 흐름을 일으키는 장치는 없고 근육의 움직임, 혈관의 압력, 호흡운동, 장의 꿈틀운동에 의한 것인데 그 속도는 아주 완만해서 30cm/분 정도이다. 이들 작용이 약화되면 림프관의 흐름이 정체된다(**그림 2**).

움직임이 적은 일이나 사무직 등은 하반신의 움직임이 적어 림프는 정체되기 쉽다. 또, 운동 부족 때문에 생긴 딱딱한 근육은 림프의 움직임이 나쁘고 압력 부족으로 림프의 흐름을 나쁘게 한다. 셀룰라이트 등의 지방도 림프관을 압박하여 흐름을 방해한다. 몸이

차가워지면 사람은 심장을 우선 지키기 위해 배에 혈액을 모은다. 그래서 손발의 혈관은 수축하고 혈류가 나빠지기 때문에 혈관의 압력에 의지하는 말초 림프의 흐름은 나빠진다. 스트레스는 교감신경을 자극하여 몸을 긴장 상태로 만든다. 이에 따라 특정부위의 혈관이 수축하고 림프관의 수축을 일으켜 림프의 흐름을 나쁘게 만든다.

그림 1 **림프관과 림프절**

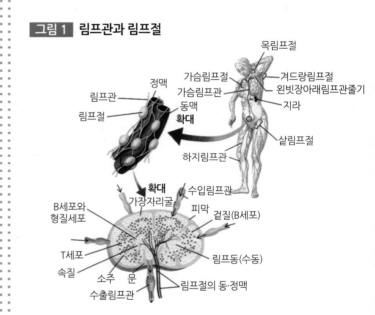

그림 2 **좌우가 다른 림프관의 주행**

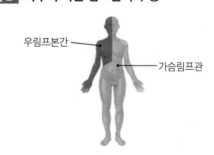

 가장자리굴(변연동, marginal sinus), 형질세포(plasma cell), 피막(capsule), 겉질(피질, cortex), 샅림프절(서혜림프절, inguinal lymph nodes), 소주(잔기둥, trabecula), 가슴림프관(흉관, thoracic duct)

Q18 림프마사지는 아픈가?
원래 림프란 무엇인가?

A 마사지방법에 따라 다르지만
림프마사지는 기본적으로 아픈 것은 아니다.
또, 림프계는 세균이나 몸의 노폐물을 처리해 준다.

먼저 처음에 림프에 관해서 설명하자.

모세혈관에서 조직으로 스며나간 혈장은 그 대부분이 다시 모세혈관으로 돌아가지만 약 10%의 혈장은 모세림프관으로 들어간다. 그 속을 흐르는 무색투명한 액체가 림프액이다. 모세림프관은 전신을 돌고 있는데 점차 집합해서 림프관이 되어 목 부근의 큰 정맥으로 흘러들어간다. 도중에 림프관이 합류하는 부분이 림프절(림프선)이고 목이나 겨드랑이 밑, 발목 등에 많이 있다. 딱 대두 정도의 크기인데 무리를 이루고 있어서 전신에 약 800개 정도가 있다. 이것들을 총칭해서 림프계라고 부른다.

림프계는 세균이나 바이러스의 확산을 방지하는 관문으로써의 역할과 여과장치로써의 역할이 있다. 혈장은 몸의 모든 부분에서 세균이나 바이러스, 그리고 오래된 세포·혈구의 잔해 등 노폐물을 림프관으로 운반하고 다시 그들은 림프절로 운반된다. 여기에서 림프구나 큰포식세포에 의해서 처리된다. 목 주변에는 약 300개의 림프절이 집중되어 있는데 세균 등으로부터 뇌를 지키고 있다. 또한, 림프절이 부어 있는 경우는 몸이 세균 등과 싸우고 있을 때이다. 림프계의 또 하나의 역할로써 작은창자에서 흡수한 지방분을 운반하는 일이 있다.

다음으로 「림프마사지는 아픈가?」란 질문인데 이것은 하는 방법에 따라 다를 것이다. 림프마사지의 주된 목적은 림프액의 흐름을 촉진시키는 것이다. 림프관이나 림프절의 대부분은 체표면에 가까운 곳에 있어서 그만큼 힘을 주지 않아도 충분히 흐름을 촉진시킬 수

가 있다. 너무 아프다면 그것은 적절한 마사지가 아닐지도 모른다(**그림 1**).

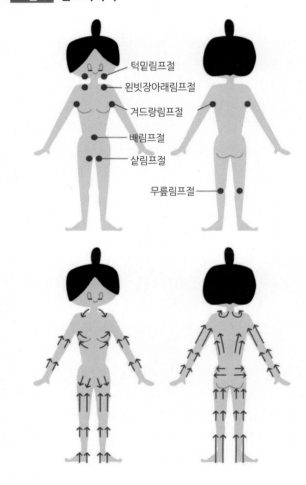

그림 1 **림프마사지**

턱밑림프절
왼빗장아래림프절
겨드랑림프절
배림프절
샅림프절
무릎림프절

 턱밑림프절(하악림프절, submandibular lymph), 빗장위림프절(쇄골상림프절, supraclavicular node),
겨드랑림프절(액와림프절, axillary lymph nodes), 샅림프절(서혜림프절, inguinal lymph nodes)

Q19 사람의 혈액형은 어떻게 결정되는가?

A 적혈구 막의 표면에 있는 항원의 형에 의해 결정된다.

혈액형이라 하면 A형, B형, AB형, 그리고 O형이 있다는 것은 누구나 알고 있을 것이다. 이 혈액형은 어떻게 결정되는 것일까?

이것은 혈액 속의 적혈구 막 표면에 있는 항원의 차이를 나타내는 것에 지나지 않는다. 적혈구 막 표면에는 많은 표면항원이 있고 그 성질은 멘델의 법칙에 따라 유전적으로 결정된다. 적혈구에는 적어도 50종류의 표면항원이 있는데 그 중에서도 특히 중요한 것이 A, B, Rh이다. A형인 사람은 적혈구의 막표면에 A항원을 갖고 있고, B형인 사람은 B항원을, AB형인 사람은 양쪽 모두 갖고 있다. O형인 사람은 어떤 것도 갖고 있지 않은 사람인데 이것이 ABO식 혈액형이다(**그림 1**). 또, Rh는 Rh인자라고도 하는데 Rh항원을 갖고 있는 사람은 Rh(+), 갖고 있지 않은 사람은 Rh(-)로 구별되어 이것이 Rh식 혈액형이다.

그러면 혈액형은 ABO식과 Rh식만 있는 걸까? 실은 그 이외에도 MN식이나 P식 등이 있어서 친자감정이나 경찰의 감식 등에서 이용되고 있다.

혈액형이 특히나 문제가 되는 것은 수혈을 할 때일 것이다. A형의 혈액 속에는 그 혈장 속에 B형의 적혈구를 공격하는 항B항체가 있다. 거꾸로 B형의 혈액 속에는 항A항체가 있다. AB형의 혈액에는 어떤 항체도 없고, O형에는 양쪽 모두의 항체가 존재한다. A형인 사람에게 B형의 혈액을 수혈하면 A형의 혈장 속에 있는 항B항체와 수혈받은 B형의 적혈구가 반응하고 적혈구가 응집(굳는 것)해 버려 생명에 지장이 있다. 물론 그 반대의 경우도 똑같다.

한편, O형인 사람은 양쪽 모두의 항체를 갖고 있어서 O형인 사람에게서만 수혈 받을 수 있다. 이론상 A형과 B형인 사람에게는 O형의 혈액을, AB형인 사람에게는 어떤 혈액형을 수혈해도 괜찮지만 실제 임상현장에서는 기본적으로 똑같은 형을 수혈한다.

그림 1 **ABO식 혈액형**

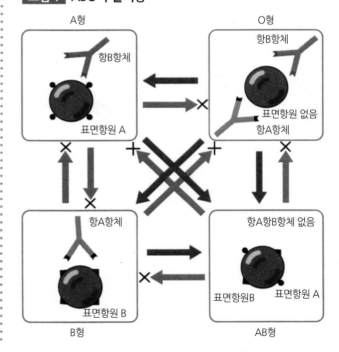

memo

Q20 혈액형과 성격은 관계가 있을까?

A 과학적인 근거가 없기 때문에 관계가 없다.

「당신의 혈액형은 무슨 형인가요?」, 「A형인데 요……」「어쩐지 꼼꼼하시더라」등 혈액형과 성격에 관한 이야기를 자주 듣는다. 책이나 잡지 등 여러 곳에서 소개해서 꽤 인기가 있는데 혈액형과 성격이 정말 관계가 있는 것일까?

결론부터 말하자면 현시점에서는 과학적인 근거가 없어서 관계가 없다고 할 수 있다.

혈액형과 성격에 사용되는 분류방법은 ABO식인데 이것은 혈액 속의 적혈구의 막표면에 있는 항원에 의해서 분류한 방법이다. 혈액형의 분류방법으로는 그 밖에도 Rh식이나 MN식 등 여러 가지가 있어서, ABO 식은 몇 백 종류 있는 혈액의 분류방법의 하나에 지나지 않는다.

혈액형에 의한 성격판정은 유럽에서 시작되었다. 성격판정 이외에도 A형인 사람은 다른 혈액형인 사람에 비해 암, 당뇨병이나 심근경색에 걸리기 쉽다는 연구나, 말라리아를 옮기는 모기는 O형인 사람의 피를 좋아한다는 설 등 여러 가지가 있는데 어느 것이나 명확한 이유는 알지 못한다.

1980년대에는 영국의 종합학술잡지인 네이처에 「영국에서는 A형인 사람은 O형인 사람에 비해 사회경제학적 지위가 높은 사람이 많다」고 발표되었는데 비판이 쇄도했다고 한다.

성격을 포함하여 여러 가지 사항에서 혈액형별로 차이가 있을까 하는 연구가 진행되고 있지만 확고한 성과가 나오지 않는 것이 현실이다.

표 1 태어나는 아이의 혈액형

모＼부	A형	B형	AB형	O형
A형	A O	A B AB O	A B AB	A O
B형	A B AB O	B O	A B AB	B O
AB형	A B AB	A B AB	A B AB	A B
O형	A O	B O	A B O	O

그림 1 혈액형과 성격???

memo

Q21 태아와 모체의 혈관은 어떻게 연결되어 있는가?

A 탯줄(제대) 속에 있다.
태아 쪽의 혈관과 태반인 모체 쪽의 혈관은 직접 연결되어 있는 것은
아니다.

모체의 태반과 태아를 연결하는 것이 「탯줄(제대)」이다(**그림 1**). 그 속에는 하나의 배꼽정맥과 두 개의 배꼽동맥이 통하고 있다. 배꼽정맥이 태아에게 산소나 영양을 보내는 혈관이고 배꼽동맥이 태아로부터 배설된 노폐물이나 이산화탄소를 운반해 가는 혈관이다.

태아에 있어서 탯줄은 실로 「생명줄」인 것이다.

그러나 태아에게 중요한 것은 탯줄만이 아니다. 또 하나 중요한 것이 있다. 그것이 태반이다.

정자와 난자가 수정한 수정란은 수정 후 일 주일 만에 자궁 내막에 착상하고 점차 발육해 간다. 그때 수정란의 표면은 혈관을 포함한 가느다란 털(융모막)로 덮여간다. 융모는 자궁내막의 내부로 자라나 영양을 흡수해서 수정란을 성장시킨다. 그리고, 착상 후 8주가 되었을 때에는 모체의 자궁벽과 합쳐져 태반이 형성된다. 태반은 태아의 호흡, 영양, 그리고 배설의 역할을 하고 또, 임신을 유지하기 위한 호르몬도 분비한다. 태아에 있어서 태반은 「생명유지장치」인 것이다.

태아와 태반을 연결하는 것이 탯줄인데 탯줄속의 태아 쪽 혈관인 배꼽정맥과 배꼽동맥은 그림과 같이 태반 속에서 모체 쪽의 혈관과 직접 연결된 것은 아니다. 요컨대 태아의 혈액과 모체의 혈액이 직접 섞이는 일은 없다는 것이다. 이 구조에 따라 세균이나 유해한 물질로부터 태아를 보호하고 있다. 결국, 태반은 태아에 있어서 「경계막」의 역할도 하는 것이다.

그림 1 **탯줄(제대)과 태반**

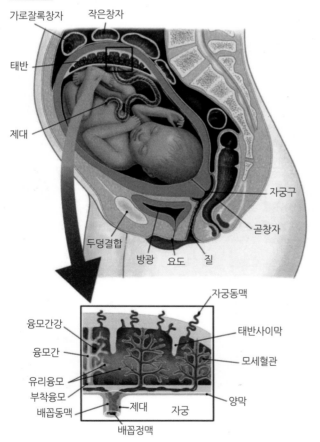

가로잘록창자   작은창자
태반
제대
두덩결합
방광   요도   질
자궁구
곧창자

융모간강
융모간
유리융모
부착융모
배꼽동맥   제대   자궁
배꼽정맥
자궁동맥
태반사이막
모세혈관
양막

용어 가로잘록창자(횡행결장, transverse colon), 태반(placenta), 제대(탯줄, umbilical cord), 두덩결합(치골결합, pubic symphysis), 자궁동맥(uterine artery), 융모간강(intervillous space), 태반사이막(태반중격, placental septum), 유리융모(자유융모, free villus), 양막(amnion), 배꼽동맥(제동맥, umbilical artery), 배꼽정맥(제정맥, umbilical vein)

22 간호대학생을 위한 쉬운 일러스트 해부생리학 ②

PART 2

골격근

Q1 관절이 우두둑 소리가 나는 것은 왜 그럴까? 뼈는 괜찮은 걸까?

A 관절안의 활액 속에 생긴 기포가 뼈 등에 부딪치는 것으로 우두둑 소리가 난다. 뼈에도 적잖이 충격이 더해지기 때문에 전혀 영향이 없다고는 말할 수 없다.

손가락 관절을 우두둑 소리를 내는 사람을 자주 발견한다. 여러분 중에는 손가락만이 아니고 목, 어깨, 허리, 무릎 등 다양한 곳을 소리내는 사람도 있을 것이다(**그림 1**). 그럼 이 소리가 나는 순간 관절에서는 무슨 일이 일어나고 있을까?

관절은 주위가 관절주머니에 싸여 그 바깥쪽을 인대 등이 덮고 있는 구조로 되어 있다. 관절주머니 속의 뼈와 뼈는 부딪치지 않도록 아주 작은 틈(관절강)을 유지하고 있는데 그 틈은 활액이라는 윤활유나 쿠션의 역할을 하는 액체로 채워져 있다.

관절을 갑자기 강한 힘으로 꺾으면 활액에 드는 압력이 급격하게 변화되어서 「공간형성(cavitation)」이라는 액체 속에 녹아있는 기체가 발생하는 현상이 일어난다(**그림 2**). 그 캐비테이션에 의해 발생한 기포가 날아가서 소멸할 때에 우두둑하는 소리가 난다고 생각할

수 있다. 그 소리는 주변에 있는 뼈나 막(관절주머니) 등에 울려서 외부에까지 들리는 것이다.

또, 기포가 발생·소멸할 때에는 에너지가 발생하고 이것이 충격파가 되어 주위의 뼈나 관절연골, 관절주머니 등에 부딪친다. 그것이 뼈나 연골의 표면을 극히 가늘게 침식, 파괴할 가능성이 있다. 그러나 관절 내부의 연골에는 그 통증을 느끼는 감각신경이 없기 때문에 관절을 울릴 때에 상처가 있어도 자각증상이 없다.

그런데 관절을 울리는 것이 버릇이 된 사람이 관절을 울린 후엔 왠지 기분 좋고 산뜻한 느낌이 든다. 그 이유는 소리가 발생한 순간에 주위를 진동시키기 때문에 일종의 스트레치를 할 때와 같은 효과를 느끼기 때문이라고 한다. 이 기분을 한 번 느끼면 그게 버릇이 될 수가 있기 때문에 도가 지나치게 관절을 울리는 것은 피하는 것이 좋겠다.

그림 1 손가락 관절

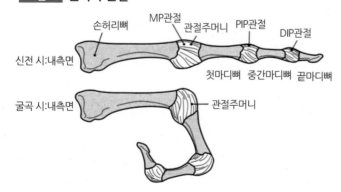

그림 2 캐비테이션

관절을 갑자기 강한 힘으로 꺾으면…

우두둑!

용어 손허리뼈(중수골, metacarpal bone), 관절주머니(관절낭, joint capsule),
첫마디뼈(근위지골, proximal phalanges), 중간마디뼈(중지골, middle phalanges),
끝마디뼈(원위지골, distal phalanges),
손허리손가락관절(중수지관절, metacarpophalangeal joint ; MP관절),
첫마디뼈손가락사이관절(근위지관절, proximal interphalangeal joint ; PIP),
끝마디뼈손가락사이관절(원위지관절, distal interphalangeal joint ; DIP)

Q2 관절을 꺾으면 손가락이 두꺼워진다는데 정말일까?

A 뼈 자체가 두꺼워진다기 보다 연골이 있는 관절 부분이 조금씩이지만 굵어진다고 할 수 있다.

손가락의 관절을 울리면 뼈나 연골이 상처를 입어 염증을 일으킬 수가 있다(Q1 참조). 그러면 그것을 회복하려고 연골이 증식해 비대해진다. 결과적으로 손가락이 굵어지는 것이다. 잘 보면 언제나 손가락을 울리는 사람의 경우 관절 및 그 주위에 꽤나 상처를 주고 있는 것이다. 한 번에 그렇게 되는 것은 아니어도 「상처 주고 회복 하고」를 몇 번 반복하면 점차 관절부분의 연골부분이 굵어진다(**그림 1**). 한 눈에 알 수 있을 정도로 관절이 부풀어 있는 사람도 있다.

또, 손가락 이외에도 특히 목이나 허리의 관절을 울리는 사람을 발견한다. 수족의 경우와는 달리 목이나 허리의 척주 속에는 중요한 척수가 들어있기 때문에 울리는 방법에 따라서는 수족의 저림이나 마비, 혹은 좀 과장된 말일지도 모르지만 생명과 관계되는 위험도 있을 수 있다.

특히 목의 경우 추골의 끝부분 등이 상처를 입을 수가 있다. 그러면 그것을 회복하려고 뼈가 증식함으로 신경의 통로를 좁게 만들고 또한 신경을 압박하여 여러 가지 증상을 일으킬 수가 있다.

예를 들면 목뼈에서 어깨뼈에 이르는 견갑상 신경이 압박을 받아 심한 어깨 결림에 이르거나 두통, 이명 등의 증상에 괴로워할 수도 있다. 또, 허리에서는 좌골신경통이나 추간판탈출증(디스크) 등의 원인이 될 수도 있다.

게다가 관절을 울리면 관절에 필요 이상의 압력을 가하는 것이 되므로 관절주머니나 인대를 늘리게 되어 관절이 약해질 가능성도 있다.

그림 1 관절이 굵어진다

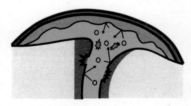

관절의 연골 부분을
작게 침식하고 있다.

창상치유를 해서
연골면이 올록볼록하다.

memo

Q3 아침에 일어났을 때의 키가 제일 크다는 것은 정말일까?

A 정말이다.
잠을 자는 동안은 척추사이원반이라는 척주 사이에 있는 쿠션에 부하가 걸리지 않기 때문에 키가 늘어나는 것이다.

인간의 등골은 목뼈라고 하는 목에 해당되는 부분에 7개, 등뼈라고 하는 등에 해당되는 부분에 12개, 허리뼈라고 불리는 허리에 해당되는 부분에 5개의 추골이 있다. 그 추골 사이에는 젤라틴 상태의 속질핵이라는 부분을 섬유질로 에워싼 척추사이원반이라는 것이 존재한다(**그림 1**).

속질핵은 척추사이원반의 축 방향에 가해지는 압력을 흡수하는 역할을 하고 있다. 속질핵의 80~85%는 물로 만들어졌는데 그 수분은 압력이 받으면 척추사이원반 밖으로 나갔다가 압력을 받지 않을 때 다시 원래의 속질핵으로 돌아오는 성질이 있다(**그림 2**).

사람은 자는 이외에는 등골 위에 무거운 머리를 올린 상태에서 생활한다. 또, 걷거나 서 있거나 할 때 지면에서의 압력도 받고 있다. 그것은 아침에 일어나서 밤에 잠이 들 때까지 척추사이원반은 항상 상하방향으로 압력을 받고 있다는 것이다. 그러면 속질핵의 수분이 빠져 나가고 척추사이원반의 두께가 감소하게 된

다. 추골과 추골 사이의 척추사이원반이 눌려 있는 것이다. 그러나 자는 동안은 누워 있기 때문에 척추사이원반은 압력(중력)에서 해방되고 낮 동안 속질핵에서 빠져나갔던 수분이 되돌아 오기 때문에 척추사이원반의 두께도 조금이지만 증가한다(**그림 3**).

이와 같은 원리에서 속질핵의 수분이 빠져나가기 전의 상태인 「아침에 일어났을 때」가 가장 키가 큰 것이다. 보통 신장은 하루 동안에 약 1%(1.5~2.0cm)감소한다고 한다.

키 이야기는 아니지만 「구두를 사려면 저녁 무렵이 좋다」라는 말을 들어봤을 것이다. 발도 하루 동안에 시간에 따라 크기가 변한다. 제일 클 때가 15시경이라고 하는데 아침에 일어났을 때와 비교해서 체적이 약 20%나 커진다고 한다. 이것도 중력이 몸에 미치는 원인이고 발은 그 영향을 그대로 받는다. 또 저녁에는 발의 부종으로 사이즈가 약간 커지기도 한다.

그림 1 척주와 척추사이원반

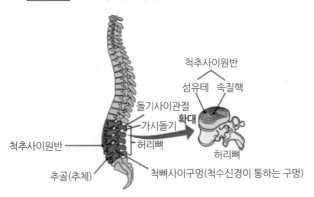

그림 2 척추사이원반

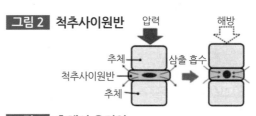

그림 3 추체의 움직임

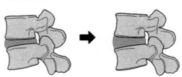
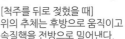

[척주를 뒤로 젖혔을 때]
위의 추체는 후방으로 움직이고 속질핵을 전방으로 밀어낸다.

[척주를 앞으로 구부렸을 때]
위의 추체는 전방으로 움직이고 속질핵을 후방으로 밀어낸다.

 척주(vertebral column), 척추사이원반(추간판, intervertebral discs), 섬유테(섬유륜, annulus fibrosus), 속질핵(수핵, nucleus pulposus), 돌기사이관절(추간관절, zygapophysial joints), 가시돌기(극돌기, spinous process), 허리뼈(요추, lumbar vertebra), 망치뼈(추골, malleus), 척추뼈사이구멍(추간공, intervertebral foramen), 추체(centrum)

Q4 뼈와 이는 같은 것인가?

A 어느 쪽이나 구성 성분은 같지만 다른 점이 많이 있다.

뼈와 이 모두 칼슘을 많이 함유하고 있고 단단하다는 이미지를 많이 갖고 있는 것 같다. 실제로 양쪽 모두 하이드로키시아파타이트라는 물질이 구성성분의 대부분을 차지하고 있는 점은 똑같다. 그러나, 그 이외에는 다른 점이 많다.

우선 뼈는 뼈모세포, 뼈세포, 뼈파괴세포 등의 세포가 모여서 된 것인데 성장하고 있을 때는 물론이고 성인이 된 후 완성된 상태에서도 끊임없이 일부에서 파괴와 신생이 일어난다. 이와 같이 뼈는 개축(리모델링)하는 것으로 강인한 뼈를 만들고 있다(**그림 1**). 또, 필요에 따라서 뼈의 칼슘을 혈액 속으로 녹여 내보내거나 거꾸로 혈액 속의 칼슘을 뼈에 축적하거나 해서 혈액 속의 칼슘이나 인의 양을 조절한다.

한편 치아는 외측으로 사기질, 상아질과 잇몸에 묻혀 있는 시멘트질이라는「치아의 삼경조직」을 만들고 있다. 상아질은 뼈보다 약간 단단하고 뼈와 비슷한 석회화조직이다. 사기질은 몸속에서 가장 단단한 것으로 인산칼슘염으로 만든다. 현미경으로 보면 사기질 기둥이라는 하이드로키시아파타이트의 결정이 모여 있는 것을 볼 수 있다. 시멘트질은 치근으로 상아질을 덮는 뼈와 많이 비슷한 조직이다. 뼈세포에 해당하는 시멘트 세포와 그것을 덮은 기질로 만든다.

치아의 사기질은 사기질 아세포에 의해 만들어지는데 치아 세포는 사기질을 만들고 이가 잇몸에서 나오기 전에 위축·소실된다. 그래서 충치가 되거나 어떤 원인으로 빠지더라도 원래로 돌아갈 수 없다. 그러나 뼈는 골절되더라도 뼈모세포의 작용으로 복구가 가능하다.

또, 뼈에는 신경이나 혈관이 주행하고 있지만 이에는 신경이나 혈관은 없다. 골절을 당해 상당히 아픔을 느끼는 것은 뼈에 신경이 있기 때문이다. 충치로 이가 아픈 것은 충치가 진행이 되어 이 중심부분에 있는 치수공간이라고 하는 공동부분의 신경을 자극하기 때문이다.

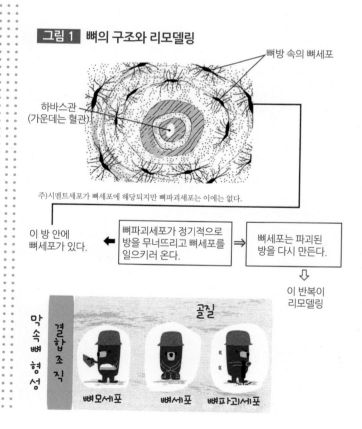

그림 1 **뼈의 구조와 리모델링**

뼈방 속의 뼈세포

하바스관
(가운데는 혈관)

주)시멘트세포가 뼈세포에 해당되지만 뼈파괴세포는 이에는 없다.

이 방 안에 뼈세포가 있다.

뼈파괴세포가 정기적으로 방을 무너뜨리고 뼈세포를 일으키러 온다.

뼈세포는 파괴된 방을 다시 만든다.

이 반복이 리모델링

막속뼈형성

결합조직

골질

뼈모세포　뼈세포　뼈파괴세포

용어 뼈방(골소강, lacuna of bone), 뼈세포(osteocyte), 뼈파괴세포(파골세포, osteoclast), 뼈아교질(골질, ossein), 뼈모세포(골모세포, osteoblast), 사기질(에나멜, enamel), 치수공간(치수강, pulp cavity), 하버스관(중심관, Haversian canal)

Q5 골절과 박리골절은 무엇이 다른가?

A 골절에는 단순골절과 복잡골절(compound fracture) 등 여러 가지의 종류가 있다. 박리골절은 글자 그대로 근육에 힘이 가해져 뼈가 떨어져 나가는 상태를 말한다.

골절은 그 원인이나 정도에 따라 분류된다. 원인에 의한 분류로는 외상성골절, 병적골절, 피로골절 등이 있다. 일반적으로 골절의 이미지로써 떠올리는 것은 외부의 힘에 의해 일어나는 외상성골절일 것이다.

외상성골절은 외부에 힘이 가해진 방법에 따라 몇 개로 다시 분류된다. 박리골절은 그 중에 하나인데「근육의 힘에 의해 당겨져서 뼈의 일부가 떨어져 나가는 골절」을 말한다(**그림 1, 2**). 구체적으로는 근육·힘줄·인대 등이 당겨지는 것으로 그 부착부위를 포함한 뼈가 박리되어서 뼈 조각을 만드는 증상이다. 그래서 힘줄이나 인대와의 결합부위에 많이 보인다. 이 뼈 조각은 힘줄이나 인대에 당겨진 것으로 변위된다.

골절되었을 때는 골절에 의한 통증이 심하고 특히 발을 골절 당했을 때는 일어서지 못하거나 쇼크 상태에 빠질 수도 있다. 그러나 박리골절인 경우 약간의 통증은 느끼지만 다른 골절만큼 심하게 아프거나 걸을 수 없을 정도의 심각한 증상이 나타나지 않는 경우도 많다. 이와 같은 경우 박리골절은 개인이 자각하기가 어렵다. 「발목을 삐었(염좌)을 뿐이라고 생각했는데, 사실은 박리골절이었어……」하는 일도 적지 않다. 따라서 염좌라고 생각하더라도 그 증상이 오래 지속되면 박리골절일 가능성을 생각하고 우선은 병원에서 진찰을 받는 게 좋다.

또, 소년야구나 축구 등을 하는 성장기 이전에 있는 아이들은 아직 근육과 뼈의 성장이 불균형한 시기이다. 그래서 근력이나 힘줄·인대 쪽이 뼈보다 강해서 갑자기 관절 부분에 힘을 받으면 뼈가 근육이나 인대에 당겨져 박리골절이 일어나기 쉬우니 주의가 필요하다.

그림 1 골반의 박리골절

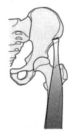 

점프 같은 것을 함으로써 넙다리곧은근이 엉덩관절뼈를 당겨서 박리된다.

그림 2 제5발허리뼈 박리골절

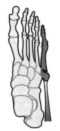 

발을 삐었을 때 종아리근에 당겨져 발허리뼈이 박리된다.

용어 병적골절(pathologic fracture), 피로골절(stress fracture), 힘줄(건, tendon), 넙다리곧은근(대퇴직근, rectus femoris muscle), 엉덩관절(고관절, hip joint, coxal joint), 발허리뼈(중족골, metatarsal bone)

Q6 골반의 비뚤어짐은 몸에 어떤 영향을 주는가?

A 어깨 결림, 요통, 비만 외에 여성인 경우는
변비, 냉한 체질, 부종, 또는 생리 불순이나 불임이 될 경우가 있다.
게다가 불면증이 될 수도 있다.

골반은 상반신과 하반신을 연결하는 역할을 하는데 좌우 볼기뼈에 엉치뼈, 꼬리뼈가 결합해서 이루어지며, 그런 이유로 움직임 적은 곳이다. 그러나 골반내의 유일한 관절인 엉치엉덩관절이라는 부분은 가동역이 작지만 움직일 수 있다. 그 부분에 비뚤어짐이 생기면 그것을 보정하려고 골반내의 여러 장소가 연동하면서 조금씩이지만 엇갈림이 생기고 결과적으로 「골반이 비뚤어」지게 된다.

골반이 비뚤어지면 몸에 여러 가지 증상이 나온다고 알려져 있다.

우선 골반의 비뚤어짐에는 「좌우 비뚤어짐」과 「전후 비뚤어짐」이 있다(**그림 1**). 좌우 비뚤어짐의 경우는 몸이 옆으로 기울고, 비뚤어짐이 생기기 때문에 근육이 한쪽으로 치우쳐 긴장함으로써 어깨 결림이나 요통을 쉽게 일으킨다. 전후 비뚤어짐의 경우는 허리나 다리의 라인이 무너짐에 따라 전신의 혈행이 좋지 않아 어깨 결림이나 냉한 체질이 될 수 있다. 또, 혈행불량이 원인이 되어 신진대사가 저하되고 지방이 붙기 쉬운 체질이 될 수도 있다.

다음으로 골반의 위치가 기울어짐에 따라 내장이 정상적인 위치에 있지 않고 내려가는데 변비나 여성인 경우엔 생리불순, 나아가서는 불임으로 이어질 수도 있다. 또, 피부가 거칠어지는 증상이 일어나기도 한다.

또, 골반이 벌어지면 넙다리뼈가 바깥쪽으로 벌어져 다리도 자연스럽게 바깥쪽을 향하게 된다(안짱다리). 이것은 O자형 다리나 X자형 다리, 새우등을 만들게 해 자세를 나쁘게 한다. 의외의 증상은 불면이다. 보통 수면 중에는 골반이 벌어져 있다. 그러나 긴

장이나 불안이 심하면 골반이 닫힌 상태여서 잠이 오지 않는다.

그림 1 골반의 비뚤어짐

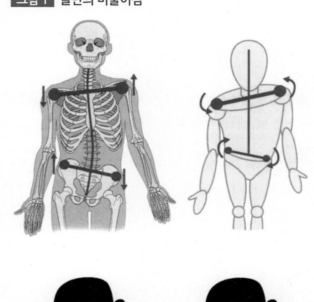

용어 엉치엉덩관절(천장관절, 선장관절, sacroiliac joint), 넙다리뼈 (대퇴골, femur)

Q7 왜 평발이 되는 걸까?

A 선천적인 것과 후천적인 것이 있지만 후자의 경우 발의 힘줄의 피로, 근력 저하가 주된 원인이라고 알려져 있다.

자신의 발을 보면 알 수 있겠지만 대부분의 사람들은 발바닥에 「장심」이라는 부분이 있다. 장심을 옆에서 보면 아치형으로 되어 있어서 종 아치라고 부른다. 또, 그다지 실감은 나지 않지만 좌우 방향에도 작은 아치가 있는데 그것을 횡 아치라고 부른다(**그림 1**).

컴퓨터의 마우스를 손으로 잡을 때 종 아치와 횡 아치로 손이 돔 형(밥공기를 엎은 모양)이 된다. 발도 똑같이 돔형을 하고 있어서 이 아치 구조가 발밑에서 받는 충격을 완화시키는 쿠션의 역할을 함과 동시에 효율성 있게 체중을 떠받치는 역할도 하고 있다. 이 아치 구조가 무너진 상태가 평발이다.

평발으로는 여러 가지 원인을 들 수 있지만 나이가 들어감에 따라 아치 형태로 끌어올리는 작용을 하는 발의 힘줄(뒤정강뼈근의 힘줄)의 변형과 발 뼈 사이에 있는 근육의 근력이 저하되는 것이 주된 원인이라고 알려져 있다(**그림 2**). 근력 저하가 되는 한 가지 원인으로써 구두를 신게 되면서 엄지발가락으로 지면을 잡고 걷는 게 적어졌기 때문이라는 이유가 있다. 옛날에 비해 어릴 때부터 구두를 신고 특히 여성의 경우 하이힐을 신는 사람이 많기 때문에 뼈나 관절의 변형을 초래하여 그것이 원인이 되어 근력의 저하를 일으킬 수도 있는 것 같다(무지외반증)(**그림 3**).

이것을 치료하려면 될 수 있는 한 맨발로 생활을 하고 엄지발가락으로 지면을 잡듯이 걸을 것을 권한다. 과체중에도 주의를 기울일 필요가 있다. 평발을 예방하기 위해서는 살이 찌는 것에 주의하고 적정한 체중을 유지하는 것이 중요하다. 평발도 중증이 되면 수술이 필요하다. 선천적인 평발의 원인으로써는 발의 아치가 완전히 형성될 시기에 근육의 성장이 방해를 받았거나 충분한 운동을 하지 않은 것 등을 생각할 수 있다.

그림 1 발의 아치 구조

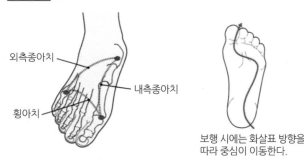

외측종아치
내측종아치
횡아치

보행 시에는 화살표 방향을 따라 중심이 이동한다.

그림 2 발의 아치를 만드는 근

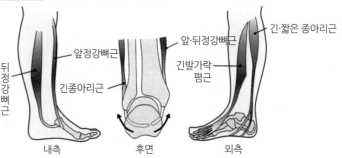

뒤정강뼈근
앞정강뼈근
긴종아리근
앞·뒤정강뼈근
긴발가락펴근
긴·짧은 종아리근

내측 　 후면 　 외측

그림 3 휘어버린 발허리관절

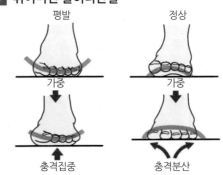

평발 　 정상
가중 　 가중
충격집중 　 충격분산

 평발(편평족, pes planus), 뒤정강뼈근(후경골근, tibialis posterior), 앞정강뼈근(전경골근, tibialis anterior), 긴종아리근(장비골근, peroneus longus), 짧은종아리근(단비골근, peroneus brevis), 긴발가락펴근(장지신근, extensor digitorum longus)

Q8 정강이를 맞으면 왜 아픈 걸까?

A 다리의 정강이 부분에 쿠션이 되는 근육이 없고
피부 바로 밑에 신경과 뼈가 있기 때문에 강하게 치면 아픔을 느낀다.

정강이는 아무리 힘이 센 사람일지라도 부딪치면 눈물을 쏙 뺄 정도로 아픈 급소이다. 의학적으로는 정강뼈라고 불리는 뼈의 상하 중간 부근이 정강이에 해당된다(**그림 1**).

자신의 정강이를 손으로 만져서 확인해 보면 근육이 붙어있지 않은 것을 알 수 있다. 그래서 치거나 어딘가에 부딪치거나 하면 뼈에 직접 충격이 전달된다. 뼈는 관절 부분 이외에는 뼈막이라는 막으로 싸여 있다. 뼈막에는 신경이 풍부하고 혈관도 분포되어 있다. 정강이에는 쿠션역할을 하는 근육이 없기 때문에 때리면 뼈막에 분포하는 신경을 직접 자극하여 심한 통증을 느끼는 것이다.

그런데 정강이는 단련시킬 수는 없는 것일까? 격투기나 축구 등은 정강이에 타격을 줄 가능성이 높은 스포츠이다. 그 부분이 약하면 불리한 것도 많을 것이다. 격투기 선수 중에는 평소에 정강이로 여러 가지(타이어, 샌드백, 금속봉 등)를 차는 트레이닝을 도입한 사람도 있는 모양이다. 처음에는 부드러운 것부터 시작하여 서서히 딱딱한 것으로 단계를 높여 단련해 간다고 한다. 머지않아 배트를 정강이로 몇 개나 부러뜨릴 수 있는 사람이 탄생할 지도 모를 일이다.

이런 트레이닝을 했다고 해서 정강뼈 전면에 근육이 붙는 것은 아니다. 강한 충격을 반복해서 받다보면 뼈속막의 신경이 마비되거나 뼈를 보호하기 위해 약간의 피하조직(결합조직)이 생기는 것이다.

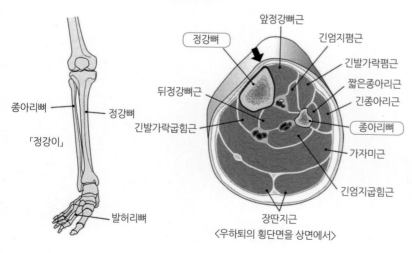

그림 1 정강뼈

- 종아리뼈
- 정강뼈
- 「정강이」
- 발허리뼈

그림 2 하퇴의 단면

- 앞정강뼈근
- 정강뼈
- 긴엄지폄근
- 긴발가락폄근
- 짧은종아리근
- 긴종아리근
- 뒤정강뼈근
- 긴발가락굽힘근
- 종아리뼈
- 가자미근
- 긴엄지굽힘근
- 장딴지근

〈우하퇴의 횡단면을 상면에서〉

아얏!

퍽!

용어 뼈속막(골내막, endosteum), 정강뼈(경골, tibia), 종아리뼈(비골, fibula), 발허리뼈(중족골, metatarsal bone)
앞정강뼈근(전경골근, tibialis anterior muscle), 긴엄지폄근(장무지신근, musculus extensor pollicis longus),
긴발가락폄근(장지신근, extensor digitorum longus muscle), 긴발가락굽힘근(장지굴근, flexor digitorum longus muscle),
긴엄지굽힘근(장무지굴근, musculus flexor pollicis longus), 가자미근(soleus muscle)

Q9 하이힐을 신으면 무지외반증이 되는지?

A 하이힐을 신으면 반드시 무지외반증이 되는 것은 아니지만 원인 중 하나라고 할 수 있다.

무지외반증(hallux valgus)은 엄지발가락(무지) 끝이 제2지 쪽을 향해 구부러지고 엄지발가락 뿌리 부분의 관절이 염증을 일으켜 붓고 아픈 증상이다.

또, 발의 통증만이 아니고 두통이나 현기증 등 여러 가지의 증상을 병발하는 질환이다. 남성에 비해 여성에게 압도적으로 많은 것도 하나의 특징이다. 원인으로는 선천적 요인과 후천적 요인이 있다.

선천적 요인은 ①유전, ②관절 변형이 쉽게 되거나 또는 약한 체질, ③선천성 질환에 의한 형성이상 등이다. 후천적 요인으로는 류마티스나 변형성관절증 등 병적인 것, 골절이나 탈구 등 외상에서 기인한 것이 있다. 신변으로는 생활습관이나 구두, 보행밸런스나 자세가 그 원인이 된다. 옛날부터 구두를 신는 습관이 있었던 서양에 많았지만 생활양식의 서양화에 따른 요즘에는 우리나라에서도 급격하게 환자가 증가하고 있다.

평발 부분에서도(Q7 참조) 썼지만 발바닥에는 종과 횡의 아치가 존재한다. 건강한 사람이라면 종과 횡의 아치를 확연히 구분할 수 있지만 구두(특히 하이힐 같은 구두)를 신음으로써 엄지발가락으로 지면을 짚고 걷는 일이 적어지기 때문에 발등쪽뼈사이근이라는 근육이 퇴화되어 아치가 무너지고 평발이 되는 것이다. 또, 횡아치를 형성하는 발허리관절의 인대가 느슨해지는 것으로도 평발이 되는데 무지의 발허리뼈가 넓어져서 내반이 되기 쉽다. 그 상태에서 하이힐 같은 발끝이 좁은 구두를 신으면 무지는 바깥쪽으로 편위 되기 때문에, 무지를 끌어당기는 힘줄의 당기는 방향이 변하게 되고 각 뼈에 붙어있는 근육의 힘 관계가 균등하지 못하게 된다. 이것이 오래 지속되면 원래는 무지를 소지쪽으로 향하게 하는 엄지벌림근이 반대 방향으로 움직이도록 작용하는 현상이 일어난다(**그림 1, 2**).

한편 무지가 소지 쪽을 향하므로 무지 끝에 붙은 긴엄지굽힘근, 긴엄지폄근이 소지쪽으로 이동해서 더욱더 무지를 외반시킨다.

그림 1 무지외반증의 외적 요인

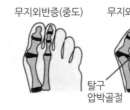

정상　　무지외반증(중도)　　무지외반증(고도)

탈구
압박골절

그림 2 무지외반증의 다섯 가지 패턴

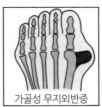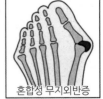

인대성 무지외반증　　가골성 무지외반증　　혼합성 무지외반증

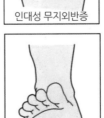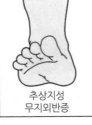

추상지성
무지외반증　　　　병변성 무지외반증

Q10 빗장뼈는 어떤 역할을 하는가?

A 빗장뼈는 복장뼈과 어깨뼈을 이어주고 가슴우리에서 어깨관절을 떼어 팔이 자유롭게 움직이도록 하는 역할을 갖고 있다.

빗장뼈는 목에서 어깨까지의 앞면에 거의 수평으로 되어있는 봉모양의 뼈인데 여러분 자신이 간단하게 만질 수 있다. 개나 고양이의 빗장뼈는 퇴화해서 아주 작다. 왜 퇴화된 것일까?

그것은 네 발로 보행하는 동물에게는 손이라는 개념이 없기 때문이다. 새나 박쥐는 빗장뼈가 발달해 있다. 이것은 전지에 해당하는 날개를 손처럼 사용하기 때문이다. 이로써 빗장뼈는 팔 운동에 중요하다는 것을 알 수 있다.

복장뼈와 빗장뼈 사이(흉쇄관절)에 손가락 두 개 정도를 대고 크게 팔을 돌려 보자. 움직일 것이다. 팔의 뼈는 위팔뼈가 어깨뼈에 연결되고 이 어깨뼈는 빗장뼈에 연결되어 있다. 빗장뼈의 한쪽 끝은 S자로 전방을 돌아 복장뼈(가슴 중앙에 있는 뼈)로 이어지고 있다. 또, 이 복장뼈는 다수의 갈비뼈와 등골(척주)을 연결하는 가슴우리를 만들고 있다. 이것이 체간이다(**그림 1**). 결국 빗장뼈는 팔을 체간으로 이어주는 역할을 하고 있다. 이에 따라 「어깨」라는 구조를 만들어 사람은 여러 각도로 팔을 움직일 수 있는 것이다. 또, 빗장뼈에는 목빗근, 세모근, 큰가슴근, 등세모근 등 많은 근육이 붙어있어서 팔이나 목을 움직이는 일을 담당하고 있다.

게다가 빗장뼈에는 중요한 역할이 있다. 그것은 혈관이나 신경을 지키는 일이다. 팔을 통하는 혈관, 신경은 빗장밑동맥·정맥, 팔신경얼기 이런 형태로 빗장뼈의 심부를 지나서 팔에 연결되고 있다. 팔이나 손은 섬세한 움직임이 가능하다. 그것은 아주 많은 혈관이나 신경이 갈라져서 근육을 지배하고 있기 때문이다. 그 중요한 혈관이나 신경이 쉽게 상처 나지 않도록 빗장뼈가 보호 하고 있다(**그림 2**).

그림 1 뼈의 구조

그림 2 팔신경얼기와 빗장뼈

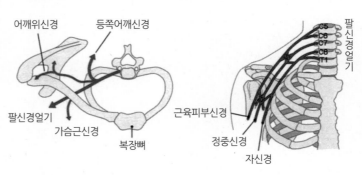

용어 봉우리빗장관절(견봉쇄골관절, acromioclavicular joint), 원뿔인대(원추인대, conoid ligament), 복장빗장인대(흉쇄인대,sternoclavicular ligament), 복장빗장관절(흉쇄관절, sternoclavicular articulation), 빗장뼈(쇄골, clavicle), 복장뼈(흉골, sternum), 오구견봉인대(ligamentum coracoacromiale), 마름모인대(능형인대, Trapezoid ligament), 어깨뼈(견갑골, scapula), 갈비빗장인대(늑골쇄골인대, Costoclavicular ligament), 빗장밑근(쇄골하근, subclavius muscle), 팔신경얼기(완신경총, Brachial plexus), 어깨위신경(견갑상신경, Suprascapular nerve), 등쪽어깨신경(견갑배신경, Dorsal scapular nerve), 근육피부신경(근피신경, Musculocutaneous nerve), 가슴근신경(흉근신경, pectoral nerve), 정중신경(median nerve), 척골신경(자신경, Ulnar nerve)

Q11 골수은행이란 무엇인가?

A 골수액을 제공해 주는 사람을 미리 등록해서 적합한 사람을 바로 찾아내는 것을 가능하게 하는 시스템이다.

뼈의 중심부에는 골수라는 해면(스폰지) 모양의 부분이 있는데 거기에서 백혈구, 적혈구, 혈소판 등의 혈액성분이 끊임없이 만들어진다. 골수는 골수액이라는 액체로 채워져 있고 그 안에는 조혈줄기세포라 불리는 혈구성분의 모체가 되는 세포가 함유되어 있다.

그러나 백혈병, 재생불량성빈혈, 면역부전증이라는 병에 걸리면 조혈줄기세포에 이상이 일어나 정상적인 혈구를 만들 수 없게 된다. 그러면 적혈구 부족이나 이상이 생기면 빈혈이 생기고, 백혈구이상 시에는 감염증에 걸리기 쉬워지고 혈소판으로는 쉽게 출혈하는 등의 증상이 나타난다.

병에 걸린 조혈줄기세포를 원래대로 돌려놓는 데 유효한 치료법 중의 하나가 골수이식이다. 현재로선 만성 골수성 백혈병이나 급성백혈병 등의 병은 골수이식이 유일한 치료법이다.

골수이식에 필요한 건강한 골수를 제공해 주는 사람을 골수 기증자라고 한다.

그러나 이 골수이식을 성공시키기 위해서는 환자는 자신과 똑같은 백혈구형(HLA형)을 가진 사람으로부터 골수액을 제공받을 필요가 있다. 이 HLA형이 일치할 확률은 같은 부모로부터 태어난 형제자매조차 25%, 친자 사이에서는 일치할 가능성은 극히 적고 그 이외의 비혈연자는 수백 명 중에 한 명, 그렇지 않으면 수만 명 중에 한 명으로 상당히 낮은 것이다. 그래서 개인의 힘으로 기증자를 찾는 것은 거의 불가능이라고 해도 과언이 아닐 것이다.

그렇기 때문에 널리 기증자 등록을 권하고 미리 백혈구형을 조사해 두어서, 등록 환자와의 상호검색에 의해 적합환자가 발견되면 골수액을 제공해 주기 위한 시스템이 골수은행이다.

그림 1 골수천자(마르크) 부위

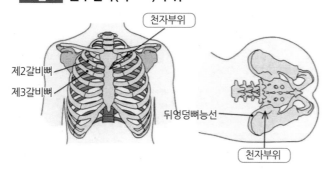

천자부위
제2갈비뼈
제3갈비뼈
뒤엉덩뼈능선
천자부위

용어 갈비뼈(늑골, rib), 엉덩뼈능선(iliac crest)

memo

Q12 술집에서 연골튀김이 나온다.
연골은 인간에게도 있는지?

A 있다.
식용으로 된 연골에는 두 종류가 있는데 닭튀김에 사용되는 것은
무릎연골 부분과 가슴의 칼돌기이다.

술집의 인기 메뉴인 연골 튀김은 「연골」이라고는 하지만 실제로 사용되는 것은 연골부분만이 아니고 닭의 무릎부분이다. 여기는 인간으로 말하면 넙다리뼈의 하단부에 해당되기 때문에 아주 많이 단단한 부분이다.

연골은 유리연골, 섬유연골, 탄성연골의 세 개로 분류된다(표 1). 일반적으로는 유리연골이 많고 윤곽을 구성하는 갈비뼈의 앞부분에서 복장뼈와 결합하는 갈비뼈연골도 유리연골이다. 또, 관절부분에도 존재하는데 관절이 부드럽게 움직이도록 하는 역할을 한다.

인간의 경우 무릎 부분을 구성하는 넙다리뼈가 커서 연골만을 빼내어도 어느 정도의 크기가 있지만 닭의 경우는 뼈 자체가 작아서 연골만을 빼내서 먹는 것은 어렵다(그림 1). 그래서 연골이 붙어있는 넙다리뼈의 하단부분을 튀김으로 해서 먹는다는 조리법이 생긴 게 아닐까.

한편 또 하나의 닭 연골로써 닭 가슴살 부위에 있는 칼돌기라고 가늘고 긴 삼각형 모양을 한 것이 있다. 이쪽은 닭의 무릎 부분에 비해 부드러워서 꼬치구이를 할 수 있기 때문에 야키도리의 메뉴로써도 잘 알려져 있다. 인간으로 말하자면 명치부분의 돌기이다.

덧붙이자면 나고야 명물인 테바사키 튀김(닭 날개 튀김)은 닭 날개 끝부분이다. 닭의 골격도 전완에서는 자뼈와 노뼈 두 개로 분리되어 있어서 전지를 비트는 운동(회내, 회외)이 가능하게 되어 있다. 사족보행 동물은 전지의 전완부분에 해당하는 뼈는 하나여서 비트는 운동은 하지 못한다.

그림 1 계육의 부위

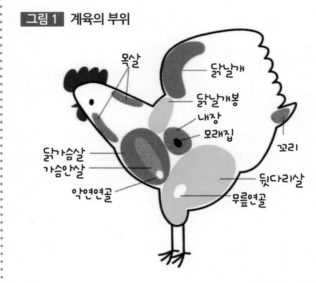

오키나와의 이개연골 미미가

피어스는 연골부분에

표 1 연골의 종류

유리연골	관절연골, 갈비뼈연골, 기관연골, 뒤통수뼈연골
탄성연골	귀인두관, 귓바퀴연골, 코연골, 후두덮개연골
섬유연골	척추사이원반, 두덩결합, 관절반달, 관절원반

용어 연골(cartilage), 유리연골(초자연골, hyaline cartilage), 탄성연골(elastic cartilage), 섬유연골(fibrous cartilage), 관절연골(articular cartilage), 갈비뼈연골(늑연골, costal cartilage), 기관연골(tracheal cartilages), 뒤통수뼈연골(후두연골, occipital cartilage), 귀인두관(이관, auditory tube), 귓바퀴연골(이개연골, auricular cartilage), 코연골(비연골, nasal cartilage), 후두덮개연골(후두개연골, epiglottic cartilage), 두덩결합(치골결합, pubic symphysis), 관절반달(관절반월, articular meniscus), 관절원반(관절원판, articular disc)

Q13 요통은 왜 일어나는 건가?

A 요통이 일어나는 원인으로써는
「좋지 않은 자세」「심한 운동이나 노동」「노화」「내장질환」
「정신적 스트레스」 등 여러 가지 원인을 들 수 있다.

요통으로 고민하는 사람이 많다. 일설에는 일생 동안에 약 80%의 사람이 요통을 경험한다고 한다.

원인 중 하나로써 「좋지 않은 자세」를 들 수 있다. 사람의 등골은 추골이라는 뼈가 몇 개씩 겹쳐 쌓여 올라간 구조를 하고 있다. 또, 수백만 년 전에 두 발로 걷게 된 후부터는 무거운 머리를 올린 상태에서 균형을 유지하기 위해, 등골은 옆에서 보면 목과 허리 부분이 전방으로 휘어진 S자형으로 생리적 만곡을 그리고 있다. 자세가 나쁘면 이 만곡이 무너져서 특정한 등골 부위나 주위 근육에 부하가 걸리게 되고 요통을 일으킨다. 계속 같은 자세로 일을 하거나 시력이 나쁜 것 등도 좋지 않은 자세가 되는 요인 중의 하나라고 생각할 수 있다.

「심한 운동이나 노동」을 하는 것도 원인 중 하나이다. 무거운 물건을 들었다 놓았다 하는 것, 운반 등의 일을 하면 허리에 부하가 걸린다. 경증인 경우는 등골 주위의 근육이 피로하여 요통이 일어나지만, 중증이 되면 등골 자체에 상당한 부하가 걸려 추골과 추골을 연결하는 척추사이원반이라는 쿠션역할을 하는 내용물이 눌려서 밖으로 튀어 나오는 「탈출증(hernia)」라는 증상을 보인다(**그림 1**). 헤르니아는 튀어나온 부분이 신경을 압박하여 그 지배하에 있는 하지의 저림이나 마비, 통증이 나타난다.

또, 노화에 의한 근력의 저하도 원인 중 하나라고 할 수 있다. 등골 주위에 있는 배근, 복근이 등골을 지지하고 있으며, 등골이 똑바로 하고 있어도 이것을 지지하는 근육이 약하면 피곤해지기 쉬울 뿐만 아니라 등골의 움직임이 불안정하여 허리가 자주 아픈 것이다.

또, 스트레스는 심인성요통을 만듦과 동시에 스트레스가 근육의 긴장을 높여 자세를 나쁘게 한다는 점에서도 요통을 낳는 원인이 된다.

「급성 요통증(근막성 요통증)」은 돌기사이관절의 염좌나 인대 손상, 요배근의 근막 손상(근육 파열)인데 허리에 심한 통증이 있어도 X선 등에서는 이상이 발견되지 않는 특징이 있다. 선 자세에서 무거운 것을 들어 올린다거나 갑자기 일어서려고 할 때 많이 생기고 통증이 심하다. 또, 장시간 앉아있거나 전향 자세를 취하는 것이 원인이 될 수도 있다. 갑자기 격한 통증이 일어나서 독일에서는 「마녀의 일격」이라고 부른다.

그림 1 헤르니아

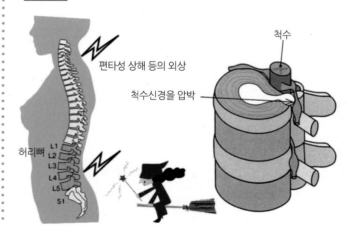

용어: 허리뼈(lumbar vertebra, 요추), 척수(spinal cord)

Q14 왜 쪼그려 앉는 자세를 하면 엉덩이가 아픈 걸까?

A 엉치뼈가 기울어지고 꼬리뼈가 지면에 닿기 때문에
또는 말라서 쿠션 역할을 하는 엉덩이에 근육이 적어
좌골이 닿기 때문이라고 생각할 수 있다.

양쪽 무릎을 모으고 무릎 앞에서 손을 깍지 끼고 앉는 「쪼그려 앉기」. 초등학교 체육 시간이나 집회를 할 때 앉았던 기억이 있을 것이다. 개 중에는 장시간 같은 자세로 앉아 있었기 때문에 엉덩이가 아프다는 생각을 한 사람도 있을 것이다.

학교에서의 쪼그려 앉기는 대부분 운동장이나 체육관 바닥에서 한다. 딱딱한 의자 위에 앉거나 책상다리를 하고 앉은 경우와 비교해 보아도 쪼그려 앉는 쪽이 엉덩이가 더 아픈 것은 왜일까? 지금 한 번 쪼그려 앉기를 해 보던가 앉은 자세를 떠올려 보라. 바닥에 닿은 곳이 어디인가?

의자에 앉아서 엉덩이 밑에 손을 넣어 보자. 분명 골반을 구성하는 뼈로 볼기뼈의 좌골결절이라는 삼각으로 뾰족한 부분이 만져질 것이다. 앉으면 거기에 체중이 집중된다. 쪼그려 앉기는 의자에 앉는 경우와 비교해서 등골과 넙다리뼈의 각도가 작아진다. 그러면 상반신의 압력이 미저골 부근에 집중되기 때문에 보통의 앉기에 비해 아프게 느껴지는 것이다(**그림 1**).

또 최근에는 쪼그려 앉기가 잘 안 되는 아이가 있다. 이너 유니트(가로막, 배가로근, 골반아래근 등)라고 불리는 근군이 약하기 때문이다. 한 번 여러분도 실험해 보기 바란다. 쪼그려 앉기를 해서 엉덩이뼈가 바닥에 정확히 닿도록 앉는다. 배에 힘이 들어가는가? 등이 구부정해져서 고양이 등이 되지는 않는지? 고양이 등으로 앉으면 자연스럽게 고개가 수그러지고 시선은 아래를 향한다. 고양이 등 상태로 얼굴을 전상방으로 올리면 피곤해 지기 쉽다. 또, 여자아이인데 삼각 앉기가 안 되는 아이도 있다. 무릎을 붙일 수 없어서 다리 가

랑이가 저절로 벌어져 있다. 이것은 내전근군이 약하기 때문이다.

그림 1 앉을 때 체중이 실리는 부위

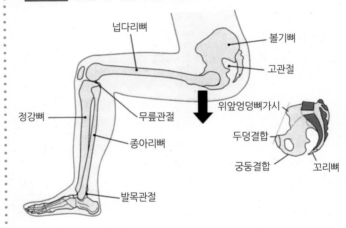

넙다리뼈 / 볼기뼈 / 고관절 / 위앞엉덩뼈가시 / 두덩결합 / 궁둥결합 / 꼬리뼈 / 정강뼈 / 무릎관절 / 종아리뼈 / 발목관절

 넙다리뼈(대퇴골, femur), 볼기뼈(관골, hip bone), 엉덩관절(고관절, coxal articulation), 정강뼈(경골, cnemis), 무릎관절(슬관절, knee joint), 위앞엉덩뼈가시(상전장골극, anterior superior iliac spine), 종아리뼈(비골, fibula), 두덩결합(치골결합, pubic symphysis), 궁둥결합(좌골결합, ischiodidymus), 발목관절(족관절, ankle joint)

Q15 사후경직은 어떻게 일어나는가?

A 사람이 죽으면 대사가 정지해 버리기 때문에 근육의 에너지원이 되는 ATP (아데노신3인산)가 보충되지 않는 것이 원인이라고 생각된다.

사망해서 호흡이나 혈액순환이 멈추면 근육을 비롯하여 몸 여기저기의 장기에 산소공급이 끊기게 된다. 그렇게 되면 몸 안의 모든 활동이 정지해버리거나, 산소를 필요로 하는 호기적인 대사는 정지를 하지만 산소를 필요로 하지 않는 혐기적인 대사는 얼마 동안은 지속된다.

근육에는 원래 호기적 기구와 혐기적 기구가 있다. 요컨대 근육 내의 에너지원인 ATP가 소비되고 글리코겐이 혐기적으로 분해되어 유산을 생성하고 축적된다. 유산은 산이기 때문에 이것에 의해 서서히 근육의 pH 저하가 일어난다. pH가 내려갈 때까지 내려가면 혐기적인 대사도 방해를 받게 된다. 그 pH 저하에 따라 근원섬유를 구성하는 단백질인 액틴과 미오신이 강하게 결합하여 액토미오신을 생성하고 활동하지 않게 되어 결과적으로 근육이 딱딱한 상태가 된다. 이것이 사후경직이라는 상태인데 사후 2~3시간부터 하루 이상 지속된다(**표 1**).

또, 사후경직은 ATP가 부족한 상태라면 보다 빨리 진행된다. 예를 들면 심한 운동으로 육체가 피폐한 상태 그대로 사망한 경우에는 원래 체내의 ATP가 평상

시보다 적은 상태에서 출발하기 때문에 경직은 평상시보다 빨리 시작된다고 알려져 있다. 또, 근육의 타입(말하자면 빠른연축근육, 느린연축근육)에 따라 경직의 발현에 시간차가 있다. 그리고 발현 시기 및 경과, 환경온도에 따라 경직의 진행은 다르다고 되어 있다.

또한 사후경직은 언제까지나 지속되는 것은 아니고 사후 일정 시간이 경과하면 부패가 시작된다. 부패가 시작되면 사후경직은 멈춘다. 사후경직이 풀리는 것을 「해경」이라고 하는데 이것은 근육세포에 잔존하는 단백질 분해효소에 의해 근원섬유가 분해되기 때문이라고 생각할 수 있다(그 밖에도 근육 내의 Ca이온이 관여하고 있다는 설도 있다).

표 1 사후경직

경과시간	상태
2~3시간	사후 2~3시간에 경직상태가 나타난다
6~8시간	경직이 전신의 근육에 보인다
12~24시간	이때 쯤 가장 강한 경직상태가 지속된다
3~4일	경직이 풀리고 전혀 긴장감이 없는 상태가 된다

memo

Q16 가슴이 큰 사람은 왜 어깨가 뻐근한 걸까?

A 가슴이 큰 사람은 무거운 물건을 가슴에 안고 있는 것과
같은 상태이기 때문에 어깨나 목에 부담이 되어 어깨가 뻐근한 것이다.
유방의 쳐짐도 주의해야 한다.

어깨 결림은 몇 개의 원인이 알려져 있는데 크게 두 개로 나눌 수 있다. 하나는 병이 원인인 것, 또 하나는 체형이나 자세가 원인인 것이다.

체형이나 자세가 원인이 되어 어깨 결림이 있는 사람은 근육에 부담이 되어 근육이 긴장하기 때문이라고 한다. 가슴이 크다는 것은 몸의 전면에 항상 무거운 물건을 안고 있는 것과 같은 것이다. 그와 같은 상태라면 어깨나 목의 부담이 커져서 근육의 긴장을 초래한다. 특히 마른 체형인데 가슴만 큰 사람은 지탱하는 근력이 약해서 그만큼 부담도 커진다.

또, 가슴이 큰 사람 중에는 자세가 나쁜 사람이 많은 것 같다. 가슴의 무게로 구부정한 자세(고양이 등)를 취하기 쉬운데다 가슴이 큰 여성은 콤플렉스로 생각해서 큰 가슴을 조금이라도 감추기 위해 몸을 구부정하게 만드는 경향이 있다. 고양이 등은 몸에 비뚤어짐을 발생시켜서 어깨 결림의 큰 원인이 된다.

또, 유방은 쿠퍼인대에 의해 젖샘을 지방 조직과 함께 피부나 가슴 근육(큰가슴근)에 연결되게 하고 있다. 인대라고 해도 견고한 다발모양의 조직이 아니고 작은 섬유다발이 그물모양으로 서로 얽혀서 갈라지고 지방 세포 안에도 섞여 들어가 젖샘을 지탱하고 있다. 조깅 등에 의한 유방의 진동이 원인이 되어 쿠퍼인대가 늘어나거나 끊어지면 유방이 쳐지게 된다. 조깅을 하면 약 10cm, 유방이 상하로 흔들려서 인대를 늘어나게 한다. 가슴이 크면 그만큼 유방은 상하로 흔들리기 쉽고 쿠퍼인대가 끊기는 직접적인 원인이 된다. 쿠퍼인대는 한 번 끊어지면 원래대로 돌아오지 않는다.

또, 가슴이 크다는 것은 그만큼 가슴이 무겁다는 것이어서 중력의 당김으로 쿠퍼인대가 늘어나기 쉽다. 가슴의 무게는 E컵인 사람이 한 쪽에 약 800g 정도인데 대해 A컵인 사람도 250g 정도는 되기 때문에, 가슴이 작다고 해서 쿠퍼인대가 늘어나지 않을 거라는 생각은 하지 않는 게 좋다.

그림 1 쿠퍼인대

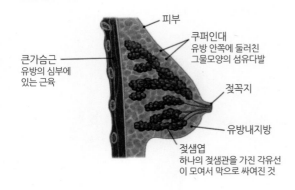

피부
쿠퍼인대
유방 안쪽에 둘러친
그물모양의 섬유다발
큰가슴근
유방의 심부에
있는 근육
젖꼭지
유방내지방
젖샘엽
하나의 젖샘관을 가진 각유선
이 모여서 막으로 싸여진 것

그림 2 어깨 결림의 근

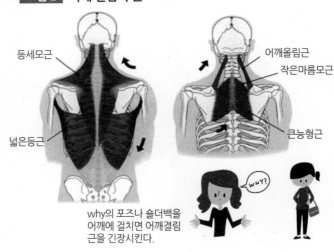

등세모근
넓은등근
어깨올림근
작은마름모근
큰능형근
why의 포즈나 숄더백을
어깨에 걸치면 어깨결림
근을 긴장시킨다.

 큰가슴근(대흉근, pectoralis major muscle), 젖샘엽(유선엽, lobes of mammary gland), 등세모근(승모근, trapezius muscle), 넓은등근(광배근, latissimus dorsi muscle), 어깨올림근(견갑거근, levator scapulae muscle), 마름모근(능형근, rhomboid muscle)

Q17 어깨 결림이 남성보다 여성에게 많은 것은 왜 그런가?

A 여성과 남성의 체형의 차이와 냉한 체질이 여성에게 많은 것이 주된 이유이다.

어깨 결림이 되는 남녀의 비율은 4대 6에서 3대 7 정도의 비율이라고 한다. 그 정도로 여성에 있어서 어깨 결림은 심각한 문제이다. 그럼 왜 여성이 어깨 결림을 심하게 느끼는 걸까?

거기에는 몇 가지의 이유를 생각할 수 있다. 우선 첫 번째는 남녀의 체형의 차이이다. 근육에 부담을 주는 것이 어깨 결림의 원인 중 하나라는 것은 전항에서도 이야기했다. 여성은 남성에 비해「쳐진 어깨」를 가진 사람이 많다. 쳐진 어깨란 어깨가 바깥쪽을 향해 내려가 있는 체형을 가리키는데 어깨의 경사가 크기 때문에 팔을 위 아래로 할 때 목에서 어깨, 등에 걸쳐서 퍼져있는 등세모근이라는 근육에 크게 부담을 주게 된다(**그림 1**).

일반적으로 여성 근육의 직경은 남성보다 가늘고 등세모근의 어깨를 들어 올리는 근육 직경은 남성의 반 이하로 머리를 지탱하고 있다. 머리의 크기가 남녀라고 해서 그만큼 다르지는 않지만 지탱하는 근육이 작다고 하는 것은 그만큼 근육에 부담을 준다. 여성은 근력도 약하고 유연성이 높기 때문에 인대나 관절이

너무 늘어나 근육이나 등골에 쉽게 부담을 준다. 또, 쳐진 어깨를 가진 사람은 목이나 어깨의 근육 자체가 발달되어 있지 않은 사람이 많아서 한층 더 등세모근에 부담을 주기 쉽고 피로가 생겨 어깨 결림이 일어난다(**그림 2**). 게다가 여성에게는 유방이 있기 때문에 무거운 물건(유방)을 가슴에 안고 있는 여성은 그만큼 어깨나 목의 부담이 커지고 근육의 긴장을 초래한다는 것은 전항에서도 말한 바와 같다.

두 번째 이유는 여성은 남성보다 냉한 체질을 가진 사람이 많다는 것이다. 덧붙여 말하자면 냉한 체질의 남녀비율도 약 3대 7이라고 하는데 어깨 결림의 비율과 비례한다고 할 수 있다. 몸이 차면 무의식적으로 몸이 오그라들거나 목을 움츠리게 된다. 몸이 오그라든 상태라면 근육은 긴장 상태가 되고 어깨 결림이 생긴다. 또, 그와 같은 상태는 혈액의 흐름을 나쁘게 만들기 때문에 근육에 쌓인 노폐물의 배설이 잘 이뤄지지 않아 결과적으로 어깨 결림으로 이어진다고 생각할 수 있다.

그림 1 어깨 결림의 메카니즘

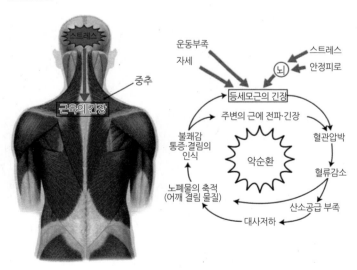

그림 2 어깨 결림에 걸리기 쉬운 사람

Q18 어깨가 결리면 왜 머리나 눈까지 아프게 되는 것일까?

A 어깨 결림에서 오는 두통은 「긴장형두통」이라고도 하는데
어깨나 목의 근육이 긴장함으로 혈행이 나빠져서 일어난다.
눈의 피로도 똑같이 일어난다.

어깨 결림에 의한 두통으로 고민하는 사람이 많을 것이다. 실은 두통에서 가장 많은 것이 「긴장형두통」이다. 긴장형두통은 목덜미에서 두부에 걸친 근육이 긴장(수축)함에 따라 일어나는 두통으로 근수축성두통이라고도 한다. 긴장형두통인 경우 동시에 눈의 피로와 통증을 느끼는 사람도 많은 것 같다(**그림 1**).

어깨 결림과 두통이나 눈의 피로(통증)에는 깊은 관계가 있다. 안정피로는 장시간 눈을 사용함에 따라 피로가 누적되어 일어난다. 가장 많은 증상은 눈이 건조하다, 핀트가 맞지 않는다, 눈에 이물감이 있다, 뿌옇게 보인다, 눈 안쪽이 아프다, 충혈 등이다. 이 안정피로의 전신증상의 하나로써 어깨 결림이 나타날 수도 있는데 거기에 더하여 두통, 불면, 신경증으로 이어질 수도 있다.

안정피로의 대부분이 컴퓨터, 텔레비전, 독서 등으로 눈을 혹사시킴으로 해서 일어난다. 눈의 신경이 피로하면 눈이나 머리 주변에 있는 근육이나 목덜미의 근육이 긴장을 하고 혈행불량이 된다. 또, 장시간 책상에 앉아 일만 한다면 눈, 목, 어깨 주변에 근육피로가 누적되어 각막건조증이나 테크노스트레스[*]가 겹쳐 어깨 결림이 일어날 수도 있다.

본래 근긴장의 원인은 정신적인 스트레스나 신체적 스트레스를 들 수 있다. 우울한 상태나 불안한 상태가 오래 지속되면 사람은 무의식적으로 신경이나 근육의 긴장도가 높아진다. 그 긴장으로 어깨 결림, 두통이 일어난다. 게다가 장시간의 컴퓨터를 사용하는 사무 작업 등 같은 자세가 계속되는 경우에는 아무래도 목이나 어깨의 혈행이 나빠지기 쉽고 눈의 피로도 동시에 일어난다. 어깨 결림과 동시에 눈의 피로나 아픔을 느끼는 것이다.

그림 1 두통의 메카니즘

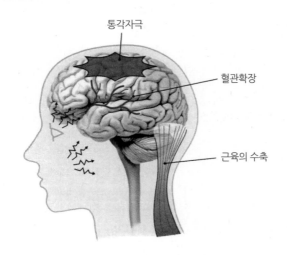

긴장형 두통은 정신적인 스트레스나 장시간의
무리한 자세 등으로 목의 근육이 긴장하고
혈액순환이 나빠져서 통증이 생긴다.

[*] 컴퓨터를 취급함으로 해서 일어나는 정신적인 실조증상(정신적인 조화가 깨진 상태)의 총칭으로 컴퓨터에 적응하지 못해서 생기는 테크노불안증과 과잉 적응으로 생기는 테크노 의존증이 있다.

memo

Q19 어깨 결림은 왜 안마를 하면 가벼워지는 걸까?

A 어깨 결림의 큰 원인은 근육의 긴장에 의한 혈행 불량이다.
어깨나 목을 주무르는 것에 의해 근육이 풀어지고 혈행이 좋아져서
결림이 경감되기 때문이다.

어깨 결림의 원인은 전항에서 서술한 대로 대부분은 근육의 긴장에 의해 생기는 혈행 불량이다. 어깨를 주무르거나 두드리는 것에 의해 근육의 긴장을 풀어주면 혈행이 좋아지기 때문에 「결림」이 경감된다.

그 밖에도 바른 자세를 취하도록 신경 쓴다, 장시간 같은 자세를 취하지 않는다, 가벼운 스트레치 등의 운동을 한다, 정신적인 스트레스를 없앤다, 잘 때의 베개 높이를 조정하는 등 여러 가지 방법에 의해 어깨를 주무르는 것처럼 결림을 경감시킬 수가 있다.

그러나 주무르기만 하면 좋다는 것은 아니다. 아픔을 느낄 정도로 너무 강하게 주무르면 뇌가 통증을 경감시키려고 진통물질을 분비한다. 그러면 점점 통증이 안 느껴지고 전번보다 강하게 주무르지 않으면 어깨 결림이 해소된 느낌이 들지 않는 현상이 일어난다. 그렇게 되면 어깨를 주무르는 것이 근육의 피로를 초래하여 어깨 결림의 악순환에서 빠져 나가지 못하게 되는 것도 생각할 수 있다.

또, 어깨를 주무르는 동안이나 직후는 진통물질이 나와 있지만 주무르기를 그만 두면 분비가 정지된다.

그래서 잠깐 동안 마비되어서 통증이 느껴지지 않고 어깨 결림이 경감된 것처럼 느껴지지만 다시 통증이 서서히 나오기 시작한다.

그래서 어깨 결림을 해소하기 위해서는 「주무르기」라는 대처요법만이 아니고 운동부족의 개선 등 근본적인 해결을 할 필요가 있다.

사무 작업을 하면 특별히 운동을 한 것도 아닌데 근육이 피곤해진다. 예를 들면 풀장에서 수영을 하면 근육은 수축과 이완을 반복하기 때문에 근육 내에 피로물질인 유산이 쌓여도 금방 혈액에 의해 운반되어 없어진다(등장성근수축, **그림 1**). 한편 사무 작업을 할 때는 근육은 오랜 시간 수축한 채 그대로 되어 있다(등척성수축). 그러면 근육은 단단해지고 혈류가 부족해져서 피로물질이 근육 내에 축적된다. 굳어버린 근육을 등장성운동으로 움직여주면 근육의 탄력이 회복되고 피로물질이 씻겨 나가 피로를 회복할 수가 있다. 풀장에서 수영을 하면 어깨 결림이 치료된다는 것은 이런 이유 때문이다.

그림 1 풀장에서 수영을 하면 어깨 결림이 치료된다

근육은 수축과 이완을 반복한다 →
유산이 혈액에 의해 운반되어
사라진다(등장성근수축)=근육의
탄력이 회복되어 어깨 결림이 낫는다.

Q20 근육트레이닝은 근육이 증가하고 지방이 줄어드는 것인가?

A 일반적으로 근육트레이닝을 하면 근육이 증가한다.
근육이 증가하면 기초 대사량이 증가해서
결과적으로 지방감소로 이어진다.

기초대사량이란 사람이 살아가기 위해 필요한 최소한의 에너지양을 말한다. 요컨대 하루 종일 안정 상태에서 소비되는 칼로리라고 말할 수 있다.

근육을 단련하여 근육량을 증가시키면 기초대사량은 증가한다. 왜냐하면 기초대사의 약 40%가 근육에서 소비되며, 근육에서 소비되는 에너지의 대부분이 지방인 것이다.

이론적으로는 근육 1kg에서 소비하는 에너지는 하루에 약 30kcal라고 한다. 이것을 1년간으로 환산하면 약 만800kcal이다. 그리고 지방 1g을 연소하는 데 필요한 에너지는 약 7kcal이다. 이것은 10,800/7=약 1,543g이 된다. 결국 근육이 1kg 증가하면 1년 동안에 약 1.54kg의 지방을 감소시킬 수 있다. 근육의 양이 1kg 증가한 것을 빼도 약 0.54kg의 체중감량이 된다.

보통의 근육트레이닝은 무거운 물건으로 격한 운동을 하기 때문에 근육 내에 유산이 쌓인다. 근육 내에 유산이 증가하면 침투압에 의해 근육이 수분을 흡수하여 붓는다. 그러면 뇌에 신호가 보내지고 성장호르몬

을 분비시켜 근육을 두껍게 하는 것이다.

게다가 「근육트레이닝에 유산소운동을 조합하면 다이어트의 효율이 높아진다」고 한다. 보통의 근육트레이닝을 한 후에 가벼운 자전거 타기 등의 유산소 운동을 하면 지방의 연소 비율이 30~50% 정도 높아진다. 근육트레이닝을 하면 보통은 성장호르몬이 나온다. 그러면 그것을 뒤쫓듯이 혈액속에 유리지방산이 증가한다. 성장호르몬이 갖고 있는 높은 지방분해 작용에 의해 지방이 분해되고 유리지방산이 된 것이다. 지방은 유리지방산의 상태가 되면 쉽게 연소된다. 이 타이밍에 유산소운동을 하면 지방이 효율적으로 연소된다고 한다. 따라서 근육트레이닝 후에 3 시간 이내의 유산소운동이 지방을 효율성 있게 태우기 때문에 효과적이다.

유산소운동이란 워킹, 수영, 자전거 등 부하가 가벼운 지속적인 운동(**그림 1**)인데 지방을 연소시키는 데에 효과적이다. 요즘 화제가 되고 있는 「슬로우트레이닝」이라는 근육트레이닝방법은 유산소운동의 일종이다.

그림 1 유산소운동

그림 2 지방연소경로

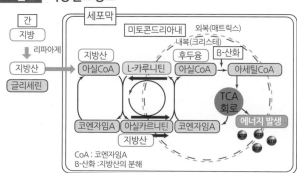

Q21 어떻게 하면 효율적인 다이어트를 할 수 있을까?

A 다이어트에는 여러 가지 방법이 있지만
몸의 구조에 맞는 무리하지 않는 다이어트가
가장 효율적이라고 할 수 있다.

다이어트 방법에는 정말 많은 종류가 있다. 운동을 하는 방법, 다이어트 식품으로 섭취 칼로리를 줄이는 방법, 심지어 단식 등 세어 보려면 끝이 없을 정도이다.

그 중에 칼로리 제한만 하는 다이어트를 하면 지방이 아니고 근육이 빠진다. 사람은 식사제한 등에 의해 필요한 에너지원을 얻을 수 없게 되면 몸에 축적되어 있는 지방이나 당질을 연소해서 부족한 에너지를 보충하려고 한다. 에너지를 보충할 때는 먼저 근육조직 속에 있는 당질이 사용되고 그 후에 피부밑지방이 사용되기 때문에 일시적으로 살이 빠진 것처럼 보인다.

그러나 근육 내의 당질이 사용된다는 것은 근육도 빠진다는 것이다. 전항에서도 썼지만 근육량이 줄면 지방을 연소하는 능력도 저하된다. 즉, 근육량을 증가

시키는 운동을 하지 않고 칼로리만 제한해 가는 방법은 살이 잘 빠지지 않는 몸을 만들게 된다.

또, 무리하게 식욕을 억제하는 방법은 정신적으로도 스트레스가 쌓이게 되고 결과적으로 요요현상(반동, rebound)를 초래할 우려가 있다.

이론적으로는 섭취 칼로리보다 소비 칼로리가 많으면 살이 빠질 것이다(**그림 1**). 무리하게 먹는 양을 줄일 것이 아니고 간식이나 늦은 밤에 먹는 식사를 피한다, 식사의 질(기름기가 많은 음식 줄이기 등)을 바꾼다, 적당한 운동 등을 의식해서 극단적으로 단기간에 감량할 것을 목표로 하지 말고 조금씩 감량해 가는 것이 최종적으로는 가장 효율적인 다이어트라고 할 수 있을 것이다.

그림 1 효율적인 다이어트

섭취칼로리   소비칼로리

섭취칼로리 〈 소비칼로리
적당한 운동을 해서 조금씩 감량하는 것.

memo

Q22 식사를 저칼로리로 하면 살이 빠질까?

A 뇌에 있는 「기아에 대비하는 스위치」를 꺼놓지 않으면 식사를 저칼로리로 해도 살이 빠지지 않는다.

식사를 저칼로리로 해도 다이어트에 성공하는 사람과 그렇지 못한 사람으로 나뉜다. 그 차이는 「뇌에 있는 스위치」이다. 이 스위치가 OFF 상태일 때 칼로리를 낮춘 식사를 섭취하면 에너지가 부족한 분은 축적된 체지방이 연소되면서 살이 빠진다.

그러나 저칼로리 식사에 당질이 부족하다면 뇌는 에너지 부족을 느낀다. 그 상태가 몇 개월 지속되면 뇌는 「기아상태다」라고 판단하고 「기아에 대비하라」하고 스위치를 ON으로 바꾼다. 그러면 축적된 체지방은 그다지 사용하지 않게 되고 먹은 지방도 연소시키지 않고 저장해 놓아 살이 빠질 수가 없다.

또, 교감신경의 기능도 저하된다. 스위치 ON이라면 뇌는 교감신경의 활동을 저하시키고 몸 전체를 에너지 절약 모드로 해놓는다.

그럼 스위치를 바꾸기 위해서는 어떻게 하면 좋을까? 그것은 하루 1,500kcal 이하로 억제하면서 일식을 약 400kcal 로 5개월 동안, 이 식사법을 지속하면 체지방은 감소할 것이다. 포인트는 식사에 함유된 「단백질 : 지질 : 당질」의 비율에 있다. 뇌의 에너지원인 당질의 칼로리 비율을 약 6할로 하면 저칼로리라도 뇌는 에너지 부족에 빠지지 않고 스위치가 ON으로는 되지 않는다.

이 다이어트법의 열쇠는 「당질의 섭취 방법」에 있다. 칼로리를 억제하려고 아침 식사나 점심 식사를 「빵 과자나 주먹밥」만으로 해결하면 스위치ON이 되어 버린다. 빵 과자 등의 단당류는 흡수가 빠르기 때문에 혈당치가 단시간에 올라가지만 금방 내려간다. 주먹밥 등도 그것만을 먹으면 흡수가 빠르고 혈당치가 그다지 지속되지 않는다. 그렇지만 밥과 함께 야채 등의 섬유질이나 소화흡수가 늦는 반찬을 먹는 것으로 혈당치는 천천히 올라가고 천천히 내려가게 된다. 이것으로 스위치는 ON이 되지 않는다.

소량이라도 포만감을 얻어서 살이 찌지 않는 식사법의 요령은 우선 국물을 먼저 마셔서 위를 안정시킨다. 그리고 반찬을 반 정도 먹은 후 밥 등 탄수화물을 먹는다. 이렇게 하면 당질의 흡수가 원만해져 포만감이 지속된다. 또, 간을 약하게 맞추면 밥의 양도 줄일 수 있다.

그림 1 뇌의 기아에 대비하는 스위치

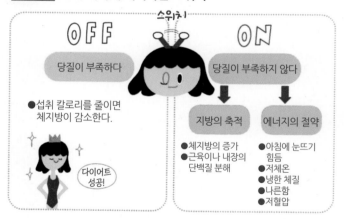

Q23 「몸이 뻣뻣하다」는 것은 「근육이 단단하다」는 것인가? 근육이 부드럽다와 단단하다는 무엇이 다른가?

A 근육의 단단함과도 관계가 없는 것은 아니지만 일반적으로는 몸이 굳었다는 것은 유연성이 없는 것을 가리키고 관절의 가동역이 작은 상태를 말한다.

체육시간에 앞구르기 운동에서 부끄러울 정도로 몸이 뻣뻣한 사람이 있는가 하면「몸 속이 어떻게 되어 있을까?」할 정도로 몸이 유연한 사람이 있다. 같은 사람인데 어떻게 이렇게 차이가 있는 걸까.

몸이 뻣뻣한 것은 근육이 단단한 것도 관계가 없는 것은 아니지만 일반적으로는 몸이 부드럽다고 하면 관절이 어느 정도 움직이는가(관절의 가동역)를 말하는 것이다.

또, 만져봐서 근육이 단단하다고 해서 몸이 뻣뻣한 (유연성이 없다) 것도 아니다. 예를 들면 씨름 선수를 떠올려 보자. 씨름 선수가 연습을 할 때 가랑이 찢기를 하면서 180° 가까이 양발을 벌리고 전굴하는 모습을 본 적이 있을 것이다.

씨름 선수의 몸은 단련된 근육으로 뒤덮여 있다. 그러나 가랑이 찢기를 할 수 있을 정도로 유연성이 좋다. 이 예에서 알 수 있듯이 몸이 뻣뻣하다, 부드럽다는 것은 어느 정도 관절을 벌리는 것이 가능한가 하는 것으로 이런 경우 근육의 단단함이나 부드러움의 문제는 아닌 것이다.

근육은 뼈와 연결되어 있는데 근복이라는 근육의 중앙 부근은 비교적 잘 늘어나는 성질을 갖고 있는 데 비해 힘줄이라고 불리는 양단 부분은 잘 늘어나지 않는 성질을 갖고 있다. 근육은 사용하지 않으면 힘도 약해지고 잘 늘어나지 않는다. 따라서 스트레치 체조 등을 해서 평소에 사용하지 않는 근육을 자극해 주면 근육이 늘어나기 쉬운 상태로 되고 관절가동역도 커진다.

또, 근육의 단단함과 부드러움은 구성하는 근육이 어떤 종류인가 하는 문제도 있다. 근육에는 하얀 근육

(백근 : 빠른연축근육섬유)과 붉은 근육(적근 : 느린연축근육섬유)이 있다. 백근은 단단하고 순발력이 있는데 적근은 부드럽고 지속력이 있다. 예를 들면 단거리 육상 선수는 백근이 많고 장거리 선수는 적근이 많다. 또, 씨름 선수는 단단한 근육이고 미식축구 선수는 부드러운 근육이다. 씨름 선수는 순간의 승부를 내지만 미식축구 선수는 장시간 계속 뛰어야 한다.

생선에도 백근과 적근이 있다. 생선회로 도미 같은 흰살 생선은 쫄깃쫄깃하다는 표현을 하고 참치회 같은 붉은살 생선은 부드럽게 입에서 녹는다는 표현을 한다 (Q24 참조).

그림 1 근섬유의 수축과 이완의 이미지

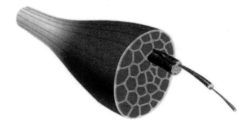

두 종류의 근단백질로 수축과 이완을 한다.

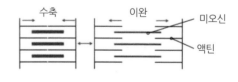

근육의 배열과 동작은 깍지 낀 손가락을 좁혔다 벌렸다 하는 것과 비슷하다.

memo

Q24 왜 마라톤 선수는 말랐을까?

A 마라톤을 비롯한 장거리달리기 선수에게 마른 사람이 많은 것은 체중이 가벼우면 체력의 소모가 적기 때문이다.

마라톤 선수나 장거리달리기 선수 중에는 확실히 마른 사람이 많다.

가장 큰 이유로써 생각할 수 있는 것은 체중이 가벼우면 체력 소비가 잘 안 되기 때문이다. 체중이 무겁다는 것은 몸에 추를 붙이고 달리는 것과 같다. 그래서 조금이라도 몸을 가볍게 하기 위해 체중(특히 지방)을 감량하도록 트레이닝을 하는 것이다.

물론 풀 마라톤에서는 일류 선수라면 약 42km를 2시간 정도로 달리기 위한 스태미너나 근력도 필요하다. 따라서 단지 마르기만 했다고 좋은 건 아니다. 일반 사람 이상의 근력이 필요한 것은 말할 것도 없다.

마라톤이나 장거리 선수의 경우 단거리 선수나 필드 경기 선수와 달리 느린연축근육(적색근육)이라고 불리는 지구력에 뛰어나고 지방연소효과가 높은 근육의 비율이 높다고 한다.

일반인의 경우는 느린연축근육과 빠른연축근육(백색근육)의 비율은 거의 1대1이라고 한다. 그러나 마라톤 선수 등의 경우(특히 일류 선수)는 느린연축근육이 대부분을 차지하고 있다고 한다. 느린근육이 많으면 그 만큼 지방연소의 효율은 높아진다. 더군다나 매일 트레이닝으로써 하루에 몇십 km를 달리기 때문에 지방이 잘 붙지 않는 몸이 되는 것이다.

느린연축근육과 빠른연축근육의 비율은 선천적인 요소도 있어서 크게 변하는 것은 어렵다는 설도 있다. 그래서 트레이닝을 해서 장거리 선수에 적합한 몸을 만들었다기 보다 타고난 느린연축근육의 비율이 높아 장거리 선수에 적합한 사람이 트레이닝을 받아 더욱 장거리 선수에 적합한 몸이 되고 일류 선수가 되었다는 패턴이 많을 것이다.

덧붙여 말하자면 잠자면서 헤엄을 친다는 참치는 붉은 살 생선인데 지구력에 뛰어난 적근이다. 한편 도미는 순발력에 뛰어난 흰 살 생선인 백근이다.

그림 1 느린연축근육(적색근육)섬유와 빠른연축근육(백색근육)섬유의 근수축특성의 차이

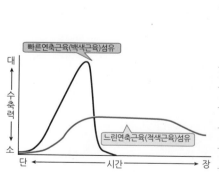

	빠른연축근육	느린연축근육
장소	몸의 표면에 가까운 곳. 종아리세갈래근의 장딴지근 등.	몸의 심층부에서 뼈에 가까운 곳. 종아리세갈래근의 가자미근, 허리네모근 등.
적당한운동	단거리 운동	장거리 운동
수축속도	빠르다	늦다
큰 힘	나온다	나오지 않는다
지속성	없다	있다
근섬유	굵다	가늘다

그림 2 골격근섬유의 유형

▶적색 근육은 지구력이 강하고 백색 근육은 순발력이 강하다.

 느린연축근육섬유(지근섬유, slow-twitch muscle fiber), 빠른연축근육섬유(속근섬유, fast-twitch muscle fiber), 근육섬유(근섬유, muscle fiber), 종아리세갈래근(하퇴삼두근, triceps surae muscle), 장딴지근(비복근, gastrocnemius muscle)

Q25 근육통은 왜 일어나는가?

A 근육자체가 손상되기 때문에 피로물질인 유산이 쌓이기 때문에 등 여러 설이 있지만 현재 명확하게 확인되지 않았다.

근유통이란 근육에 생기는 통증을 가리킨다. 누구나 한 두 번은 경험이 있을 것이다. 근육통의 메카니즘은 과학적으로 완전히 해명된 것은 아니고 여러 설이 있다. 일반적으로는 「근피로설」과 「근손상설」 두 개가 있다.

■ 근피로설

근육을 사용할 때 특히 근육트레이닝 등의 무산소 운동을 한 경우는 에너지원으로써 근육 내의 글리코겐이 사용되는데 그 부산물로써 「유산」이라는 피로물질이 생성된다. 이전에는 근육통의 원인은 유산이 근육 내의 모세혈관에 축적되는 것이라고 생각했다. 유산이 쌓인 근육은 수축하기 때문에 혈관이 가늘어지고 혈행이 방해를 받아 근육으로 공급되는 산소가 부족하여 근육통이 일어난다는 것이다(산소 공급 부족에 의해 둔통을 일으키는 어깨 결림과 같은 현상, **그림 1**).

또, 유산과 같은 피로 물질은 체내의 알칼리농도를 내려서 에너지원인 ATP(아데노신3인산)를 작용하기 어렵게 만든다. 그 결과 근육을 산성화시키고 근육을 아프게 만든다.

■ 근손상설

운동에 의해서 근육을 구성하고 있는 근섬유와 그 주변의 결합조직이 손상된다. 그들이 회복하는 과정에서 염증을 일으키는데 그때 통증을 일으키는 물질이 발생하고 그것이 근막을 자극한다는 설이다. 평상시에 하지 않는 격한 운동이나 평소 사용하지 않는 근육을 움직이면 근섬유나 결합조직을 손상시킨다. 손상된 곳에는 염증이 일어난다. 염증이 일어난 곳에는 백혈구 등이 몰려오는데 그 백혈구에서 브라디키닌, 히스타민, 프로스타글란딘 등의 생리활성물질이 방출된다(**그림 2**). 이들은 발통물질이라고도 하는데 그 중에서도 브라디키닌이 폴리모달 수용기라는 통증을 느끼는 주요 감각기관을 자극하기 때문에 통증이 발생한다고 생각된다.

그러나 현재 근육자체의 손상이 주요 원인인지 피로물질의 축적이 원인인지 확실한 결론은 나와 있지 않다.

그림 1 근피로설

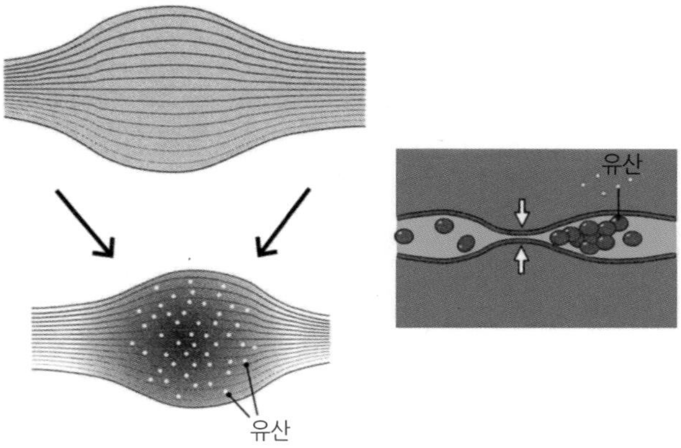

유산

유산

그림 2 근손상설

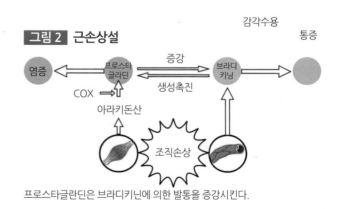

프로스타글란딘은 브라디키닌에 의한 발통을 증강시킨다.

용어 프로스타글란딘(prostaglandin), 브라디키닌(bradykinin), 아라키돈산(arachidonic acid)

Q26 나이가 들면 왜 근육통이 늦게 일어나는 걸까?

A 확실한 이유는 밝혀지지 않았지만 나이가 들수록 사용하지 않는 근육의 쇠퇴가 주요 원인이 아닐까 생각하고 있다.

「젊을 때는 바로 그 날 근육통이 나타났는데 나이가 들수록 다음 날이나 그 다음 날이 아프네~」라는 어르신들의 대화를 자주 듣는다.

근육통의 메카니즘에 관해서는 전항에서 설명한 그대로이다(Q25 참조). 그러나 실제로 몇 살 이상이 되면 늦게 아픈 것을 느끼게 되는지 정확한 기준은 없다.

대부분의 사람들이 나이를 먹어감에 따라 운동할 기회가 감소하고 사용하지 않는 근육이 증가한다. 그와 같은 상태에서 아이의 운동회에서 달리기를 하거나 직장의 구기대회에 참석하게 되면 평소에 사용하지 않는 근육이 손상을 입어 염증을 일으킨다.

그러나 손상의 정도는 반드시 연령에 비례한다는 것은 아니다. 평소부터 운동을 해서 근육을 잘 사용하고 있는 사람은 손상의 정도도 가볍게 끝나기 때문에 통증도 가볍고 오래 끌지 않지만 근육을 잘 사용하지 않던 사람은 손상도 심하고 오래 끄는 일이 많은 것 같다.

실제로 20세와 60세의 사람이 같은 강도의 운동을 하고 비교한 실험이 있다. 그 결과는 양자 사이에는 근육통이 일어나기까지의 시간이나 회복될 때까지의 시간에 차가 없다는 것이다.

따라서 나이가 든 것이 원인이 아니고 매일 근육을 사용하고 있는지의 여부가 근육통을 어느 정도 나중에 일으키는지를 결정하는 큰 요인이 아닐까 생각한다.

다만 몇 가지 다른 원인도 있다.

나이를 먹으면 모세혈관에서의 혈액의 흐름이 나빠지기 때문에 손상된 근섬유를 없애거나 회복하기 위한 백혈구가 손상부위로 모일 때까지 시간이 걸린다. 그래서 염증 발생이 늦어진다고 생각할 수 있다. 또, 근육통은 연령에 관계없이 길고 약한 부하의 운동으로는 빨리 통증이 나타나고 짧고 강한 부하의 운동으로는 늦게 나오는 경향이 있다. 더욱이 통증을 받아들이는 신경의 감수성은 일반적으로 나이를 먹으면 생리적으로 저하되기 때문에 이것도 하나의 이유로 되어 있다.

나이가 든 후에는 운동 전에 반드시 준비 운동이나 스트레치, 운동 후에는 정리 운동을 하도록 하자. 이것을 정확히 하는 것만으로도 통증이 완화될 것이다(**그림 1**).

그림 1 근육통을 경감시키기 위해서는

운동 전의 준비 운동이나 스트레치, 운동 후의 정리 운동이 중요하다.

memo

Q27 왜 다리가 저린 걸까, 그것은 근육이 어떻게 된 상태인가?

A 「다리가 저리다」는 건 근육이 경련한 상태이다.
여러 가지 원인이 있지만 피로 및 미네랄분이나 비타민 부족 등이
주된 원인이라고 알려져 있다.

「다리가 저리다」는 것을 「장딴지 경련」이라고도 부른다. 장딴지 근육이 자주 저리기 때문에 그 명칭이 붙었다(**그림 1**).

다리에 한하지 않고 근육이 저리다는 상태는 전신에 일어날 가능성이 있다. 그러면 「저리다」란 어떤 상태인가 하면 근육이 수축·경련한 상태이다. 수면 중이나 수영 등의 운동을 할 때 또는 임신후기(임신 8개월 정도)의 여성에게 많이 볼 수 있다.

그 원인은 여러 가지로 생각할 수 있는데 첫 번째로는 근육의 피로를 들 수 있다. 근육 안에는 근방추라고 하는 근육의 길이를 감지하는 센서가 있는데 「이 이상 수축하지 않아도 좋다」라고 근육의 수축 상황을 뇌에 신호로 보낸다. 그러나 근육이 피로해 있으면 센서가 둔해지고 신호의 양이 감소한다. 그러면 필요 이상으로 근육이 수축해 버린다.

두 번째로써는 미네랄분이나 비타민의 부족이다. 매일의 생활이 불규칙하고 식생활도 안정적이지 못한 사람, 다이어트 중인 사람 등에서 볼 수 있다. 미네랄분이 부족하면 근육의 대사가 충분하지 못할 수도 있다. 대사가 불충분하게 되면 신경이 비정상적으로 흥분해서 근육이 경련을 일으키고 정상적이지 않은 수축을 일으킨다. 그 결과 「저린」 증상이 나타나는 것이다.

스포츠를 하고 있을 때(특히 여름)는 땀을 흘려서 수분과 함께 체내의 미네랄분이 소실될 가능성이 있는데 그래서 「다리가 저린」 사람이 많은 것이다.

또, 비타민이 부족하면 근육이 쉽게 피로해져서 저리는 원인이 된다. 다리가 저리지 않도록 하기 위해서는 균형 있는 식생활에 신경 쓰거나 운동할 때 준비운동을 제대로 한다. 그리고 적당한 수분이나 미네랄분의 보급이 필요하다.

그 밖에도 저린 원인으로써 혈행불량을 생각할 수 있다. 장시간 서있는 상태가 계속되거나 차가운 물속에 들어가는 것은 혈행이 나빠지고 근육의 이완조절이 둔해진다. 그것이 원인이 되어 비정상적인 수축이 일어난다.

그림 1 다리가 저리다(장딴지 경련)

다리가 저리면

수축한 근육을 역방향으로 잡아당기고 마사지를 한다. 따뜻하게 하고 냉습포를 한다.

발바닥의 경우엔 장심을 누른다.

Q28 잠을 잘 못자서 생긴 「목결림」은 근육의 어떤 상태를 말하는 것인가?

A 「목」이나 「등」에 어떤 충격이 「지속적」으로 가해져서 근육이 염증을 일으킨 상태이다.

잠을 잘 못자서 「목결림」을 일으켜 고개가 잘 돌아가지 않는다는 경험을 한 사람도 있을 것이다. 목결림은 목이나 등에 부자연스런 힘이 계속 가해져서 주변의 근육이 무리하게 늘어나거나 추간관절이 과잉 압력을 받았기 때문에 일어나는 급성염증이다.

목에서 어깨에 걸쳐 증상이 나타나기 때문에 「어깨결림」과 같은 것으로 생각하는 사람도 있을지 모르지만 「어깨 결림」의 원인은 목이나 어깨 부분의 혈행 불량이므로 「목결림」과 「어깨 결림」은 다르다.

목결림은 만성적으로 통증을 동반하는 경우도 있는데 대부분은 「돌발적」인 통증이다. 따라서 근육통의 일종이라고 말해도 좋을 지도 모른다.

그럼 왜 목결림이 일어나는 걸까? 원인은 몇 가지 생각할 수 있지만 대부분 잘 때의 부자연스런 자세를 들 수 있다. 사람은 잠을 잘 때 무의식중에 돌아누우면서 자세를 바꾸고 자연스러운 자세를 유지하려고 한다. 그러나 술을 너무 마셔서 취한 상태일 때 등 부자연스런 자세가 몇 시간이나 지속되면 어느 새 목이나 어깨에 비정상적인 힘이 들어간다. 그러면 근육은 염증을 일으키고 목결림이 되는 것이다.

또, 심한 정신적 스트레스를 받거나 내장의 상태가나쁘면 목 주변에 원인이 없는 경우라도 목결림이 일어나는 것 같다. 목결림이 자주 반복되는 사람은 만성적인 어깨 결림과 상관있을 수도 있다. 그것은 머리를지탱하고 움직이게 할 때 작용하는 근육이 너무 긴장하거나 관절에 부하가 걸려 그 주변의 조직이 아픈 상태가 되기 때문이다(**그림 1**).

또, 「베개」의 높이가 원인인 경우도 있다. 몸에 맞지않는 베개는 목에 부자연스러운 힘을 주게 된다. 그 결과 목결림이 일어나는 것뿐만 아니라 「숙면을 취하지못하는」 것으로 이어진다.

목결림을 방지하기 위해서는 자는 동안에도 목뼈를받쳐줄 수 있는 높이의 베개를 선택하고 너무 높은 베개나 너무 푹신한 요는 사용하지 않도록 하자. 또, 에어컨의 냉기 등으로 어깨나 목을 식히지 않도록 신경쓰는 게 좋을 것이다.

그림 1 근육통을 경감시키기 위해서는

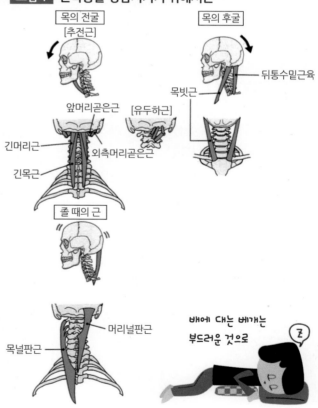

목의 전굴
[추전근]

목의 후굴

뒤통수밑근육

목빗근

앞머리곧은근

[유두하근]

긴머리근

외측머리곧은근

긴목근

졸 때의 근

머리널판근

목널판근

배에 대는 베개는
부드러운 것으로

 추전근(prevertebral muscle), 뒤통수밑근육(후두하근, suboccipital muscles), 목빗근(흉쇄유돌근, sternocleidomastoid muscle), 앞머리곧은근(전두직근, rectus capitis anterior muscle), 긴머리근(두장근, longus capitis muscle), 외측머리곧은근(외측두직근, musculus rectus capitis lateralis), 긴목근(경장근, longus colli muscle), 머리널판근(두판상근, splenius capitis muscle), 목널판근(splenius cervicis muscle)

Q29 근단열은 뼈에서 근육이 떨어지는 것인가?

A 근단열은 갑작스런 운동 등으로 근육이 급격하게 수축하기 때문에
근막이나 근섬유가 상해를 받은 상태를 말하고
뼈에서 근육이 떨어지는 것은 아니다.

평소에 운동을 하지 않는 사람이 갑자기 운동을 했을 때나 프로 스포츠 선수라도 때때로 일어나는「근단열」. 그 이름 때문에 뼈에서 근육이 떨어져 나가는 이미지를 갖고 있지는 않는가.

실제로는 근단열은 근육이나 근막이 부분 단열된 상태로「근좌상, 근손상」을 말한다. 타박상과는 달리 외부의 힘으로 인한 것이 아니다.

근육과 뼈는 단단히 밀착되어 있기 때문에 상당히 큰 힘을 들여도 근육이 뼈에서 떨어져 나갈 수는 없다. 그러나 근육이 이완되려고 하는데도 상관없이 수축하면 힘에 부친 근육의 일부에 단열이 생길 수가 있다. 전형적인 예로써는 운동을 하고 있을 때 넓적다리(대퇴부)나 장딴지(비복근)의 안쪽에 통증이 일어나는 경우이다(**그림 1**).

중증도를 3단계로 나누는데 장딴지인 경우 경증은 스트레치를 하면 통증을 느낀다, 중등도는 무릎을 구부리고 있으면 스트레치를 해도 통증이 가볍다, 중증은 무릎을 구부리고 있어도 스트레치로 통증을 느끼고 발돋움을 할 수 없다는 증상이 나타난다.

원인은 여러 가지가 있지만 첫 번째로서는 근력부족을 들 수 있다. 자신의 근력에 맞지 않는 부하의 트레이닝을 한 경우이다. 두 번째는 근육의 피로이다. 피로한 근육은 탄력성을 잃고 단열되기가 쉽다. 그 밖의

원인으로서 추운 날에 운동을 하거나 워밍업부족의 상태에서 운동을 했을 경우이다. 그와 같은 상태라면 근육이 수축한 상태이고 급격한 운동에 의해 근육에 부하가 걸리면 단열되기가 쉽다.

예방으로는 운동 전에 충분한 준비 운동이나 스트레치를 해서 근육을 풀어 주는 것이다. 특히 추운 시기에는 조심할 필요가 있다. 만에 하나 근단열 같은 증상이 있을 경우에는 스스로 판단을 하지 말고 진찰을 받아 적절한 치료를 하는 것이 좋다.

그림 1 근단열의 치유과정

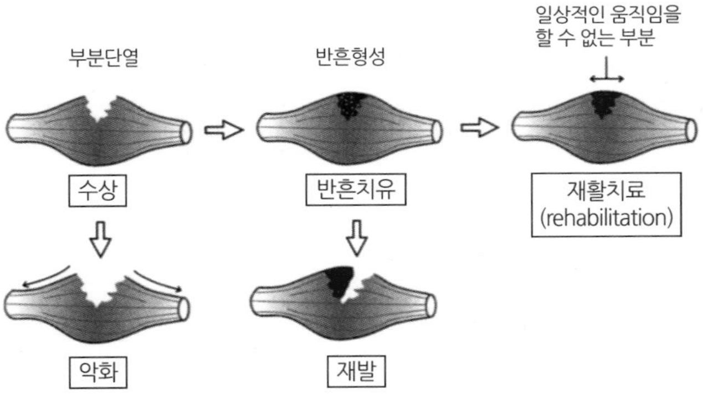

memo

Q30 인대가 늘어났다는 말은 무엇인가?
원래대로 돌아올 수 있는지?

A 인대는 늘어날 수는 없다.
인대에 큰 힘이 가해진 경우는 단열되어 버리고 자연스럽게 원래대로 돌아가지 않는다.

발꿈치힘줄로 대표되는 힘줄과 무릎에 있는 십자인대 등의 인대는 같은 것이라 생각하는 경향이 있는데 양자에는 큰 차이가 있다.

힘줄은 근육의 양단을 뼈에 연결하는 조직이며, 인대는 뼈와 뼈를 연결하는 단단한 끈같은 조직으로 기본적으로는 신축하지 않는다.

발꿈치힘줄같이 움직여야 하는 곳에는 근육과 힘줄이 있으며, 인대는 관절이 목적 이외의 방향으로 움직이지 않도록 제동하거나 회전운동의 축을 만들고 있다. 양자를 현미경으로 보면 조직학적으로는 같은 구조를 하고 있고 생화학적으로 분석해도 똑같은 조성을 이루고 있다.

관절이 움직여서는 안 되는 방향으로 강한 힘이 가해지면 인대를 구성하는 섬유는 단열되어 버린다. 「인대가 늘어났다」라는 표현이 자주 사용되는데 실제로는 늘어난 것은 아니고 섬유가 여러 장소에서 단열되어 전체적으로 보면 늘어난 것처럼 보일 뿐이다. 또, 한 번 단열된 섬유는 자연스럽게 원래대로 돌아갈 수는 없다.

농구, 배구, 스키 등 무릎에 부하가 걸리는 스포츠에서는 인대가 손상되는 사람이 많이 있다. 무릎에는 무릎이 비틀어지는 것을 제한하고 정강뼈가 전방으로 벗어나지 않도록 하는 앞십자인대와 똑같이 뒤로 벗어나지 않도록 하는 뒤십자인대, 무릎의 바깥쪽에서 외부의 힘이나 꼬임으로부터 보호하는 안쪽곁인대, 그 반대 개념으로 가쪽곁인대가 있다. 이들 인대는 X선 검사에서는 인대 자체는 나타나지 않기 때문에 정확한 진단을 하기 위해서는 MRI검사를 받을 필요가 있다.

X선 검사만을 받고 「골절은 아닙니다. 염좌예요」라는 진단을 받아 상태가 그대로 지속되어 치료가 늦는 일도 자주 있는 모양이다. 정확한 진단을 받기 위해서도 정형외과 전문의를 찾아갈 것을 권유하는 바이다.

또, 무릎의 앞십자인대가 단열된 경우에는 수술에 의한 인대재건을 할 필요가 있다. 그때는 자신의 몸에 있는 다른 건(햄스트링건 등)을 이용하는 수술이 일반적이다. 수술 후는 3개월부터 반 년 정도의 재활을 행할 필요도 있다(**그림 1, 2**).

그림 1 발목에서 인대가 손상되기 쉬운 장소

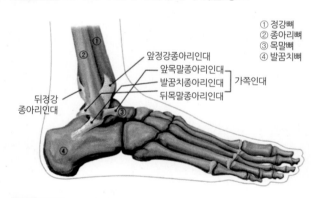

① 정강뼈
② 종아리뼈
③ 목말뼈
④ 발꿈치뼈

앞정강종아리인대
앞목말종아리인대
발꿈치종아리인대] 가쪽인대
뒤목말종아리인대
뒤정강종아리인대

그림 2 무릎 관절의 인대

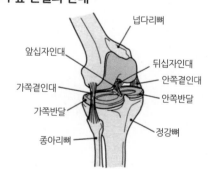

넙다리뼈
앞십자인대
뒤십자인대
가쪽곁인대
안쪽곁인대
가쪽반달
안쪽반달
종아리뼈
정강뼈

용어 정강뼈(경골, tibia), 종아리뼈(비골, fibula), 목말뼈(거골, talus), 앞정강종아리인대(전경비인대, anterior tibiofibular ligament), 뒤정강종아리인대(후경비인대, posterior tibiofibular ligament), 앞목말종아리인대(전거비인대, anterior talofibular ligament), 발꿈치종아리인대(종비인대, calcaneofibular ligament), 뒤목말종아리인대(후거비인대, posterior talofibular ligament), 발꿈치뼈(종골, calcaneus), 넙다리뼈(대퇴골, femur), 앞십자인대(전십자인대, anterior cruciate ligament), 뒤십자인대(후십자인대, posterior cruciate ligament), 가쪽곁인대(외측측부인대, lateral collateral ligament), 안쪽곁인대(내측측부인대, Medial collateral ligament), 안쪽반달(내측반월, medial meniscus), 가쪽반달(외측반월, lateral meniscus), 햄스트링(넓적다리 뒤 부분의 근육과 힘줄, hamstring)

Q31 무언가를 집을 때 새끼손가락을 세우는 것은 왜 그럴까?

A 넷째손가락(약지)과 새끼손가락(소지)의 힘줄이 손등에서 연결되어 있기 때문에 새끼손가락을 세우면 넷째손가락이 늘어나고 물건을 집을 때에 균형을 이루기가 쉽기 때문이다.

사람이 마이크나 글라스를 집을 때 자연스레 새끼손가락을 세우는 것을 많이 보았을 것이다. 왠지 일부러 하는 것처럼 보이지만 많은 사람이 의식하고 하는 것은 아니고 자연히 올라가는 것이다.

그 이유는 새끼손가락을 이완시키는 근육(새끼폄근)이 넷째손가락을 움직이는 근육과 손등에서 연결되어 있기 때문에 엄지손가락과 넷째손가락에 힘을 넣어 물건을 집으려고 하면 힘줄이 당겨져 새끼손가락이 자연스럽게 올라간다. 글라스를 집을 때 가운데손가락 쪽이 길어서 넷째손가락이 글라스에 닿지 않는 느낌이 들기 때문에 새끼손가락을 뻗어보면 넷째손가락이 따라 올라간다. 결국 새끼손가락을 세우면 넷째손가락이 올라가서 균형을 맞출 수 있게 되는 것이다. 실은 넷째손가락을 단독으로 움직이게 하는 근육은 없고 가운데손

락 등 다른 손가락도 동시에 움직이는 근육을 사용하지 않으면 넷째손가락은 구부리거나 뻗을 수 없다. 게다가 넷째손가락은 새끼손가락만이 아니고 가운데손가락과도 힘줄이 연결되어 있기 때문에 가운데손가락이 움직이지 않으면 새끼손가락도 움직일 수 없다(**그림 1**).

손가락 골격의 구조에는 불가능한 메커니즘이 있는데 「뗄래야 뗄 수 없는 새끼손가락」라는 말이 유명하다 (**그림 2**). 그림과 같이 양손의 가운데손가락의 관절만을 구부리고 딱 붙인다. 나머지 네 개의 손가락 끝을 양손으로 맞춰 보라. 이 상태에서 순서대로 하나씩 각각의 손가락을 떨어뜨려 본다. 신기하다. 다른 손가락은 떨어뜨릴 수 있는데 넷째손가락은 떨어지지 않는다. 이것은 손가락을 굽히는 굴근이 팔에서 나오는데 그것이 손목보다 밖에서는 힘줄이 된다. 넷째손가락와 가운데손가락의 힘줄은 특히 다른 손가락보다 제대로 연결되어 있다. 따라서 가운데손가락을 굽혀 고정시켜 놓으면 간접적으로 넷째손가락도 고정된 것과 같아져 움직일 수 없게 되는 것이다. 결혼반지를 넷째손가락에 끼는 것은 부부가 떨어지지 말자고 하는 염원에서 나온 것일까.

그림 1 손등의 힘줄(오른손)

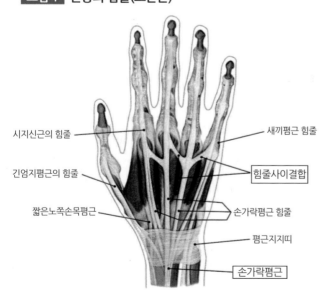

시지신근의 힘줄
긴엄지폄근의 힘줄
짧은노쪽손목폄근
새끼폄근 힘줄
힘줄사이결합
손가락폄근 힘줄
폄근지지띠
손가락폄근

그림 2 떨어지지 않는 약지

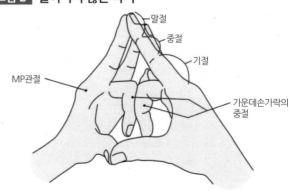

말절
중절
기절
MP관절
가운데손가락의 중절

용어 집게폄근(시지신근, extensor indicis muscle), 새끼폄근(소지신근, extensor digiti minimi muscle), 긴엄지폄근(장무지신근, musculus extensor hallucis, longus), 짧은노쪽손목폄근(단요측수근신근, extensor carpi radialis brevis muscle), 손가락폄근 (지신근, extensor digitorum muscle), 폄근지지띠(신근지대, extensor retinaculum), 손허리손가락관절(중수지관절, metacarpophalangeal joint; MP관절)

PART 3

내분비

Q1 잠을 자면 키가 큰다는 말이 있는데 정말인가?

A 성장호르몬은 밤에 잘 때 많이 분비된다.
운동에 의한 근이나 뼈의 자극은 성장을 촉진시키는
중요한 포인트이다.

아이의 성장에 있어서 가장 중요한 성장호르몬은 낮에 깨어 있을 때보다 밤에 자고 있을 때 많이 분비된다. 키는 자는 동안에 늘어난다고 하는데 잠을 자면서 뼈나 근육을 중력으로부터 해방시킨다는 「뼈휴식」이라는 말에서도 수면의 중요성이 전해진다. 반대로 도중에 일어나거나 수면시간이 짧으면 성장호르몬의 분비가 줄어들어 키가크는데 영향을 미친다.

자기 전에 심한 꾸지람을 받은 아이는 강한 스트레스를 느낀다. 이럴 때 아이의 체내에서는 아드레날린이 분비되어 몸이 흥분상태가 된다. 이런 상태에서는 도저히 잠이 오지 않고 수면에 방해가 된다. 또, 자기 전에 야식을 먹으면 수면 시 성장호르몬의 분비가 나빠져서 신장의 성장에 영향을 줄 가능성이 있다. 왜냐하면 성장호르몬이 충분히 분비되기 위해서는 혈당치가 어느 정도 내려갈 필요가 있기 때문이다.

성장호르몬은 운동 후에도 분비된다. 근육은 운동에 의해 근섬유가 눈에 보이지 않는 레벨로 뚝뚝 끊어지고 상해를 입는다. 그리고 액틴이나 미오신(근단백질)이 합성되어 근섬유가 회복된다(**그림 1**). 또, 운동하는 것은 신체적으로 적당한 피로감을 얻기 때문에 잠이 잘 오게 하고 깊은 수면에 도움이 된다. 또, 운동에 의한 뼈의 자극은 뼈의 성장을 촉진하는 중요한 포인트이다.

또 하나, 성장호르몬과 함께 밤사이에 분비량이 많아지는 멜라토닌이라는 중요한 호르몬이 있다. 멜라토닌은 체내 시계를 조절하고 자연스러운 수면을 유도하는 뇌내 호르몬인데 그 분비량은 빛의 자극에 의해서 감소한다(**그림 2**). 따라서 아침에 커튼을 활짝 열고 햇빛을 쏘여 멜라토닌을 감소시키면 자연스럽게 눈을 뜨게 할 수 있다. 역으로 밤에는 자연스러운 수면을 유도하기 위해 방 안의 전기를 끄고 멜라토닌의 분비를 촉진하면 효과적인 수면을 취할 수 있다.

잠자기 전에 텔레비전을 보거나 게임을 하면 불필요한 빛이 시신경을 거쳐 뇌를 자극한다. 눈이 피로해져 잠이 몰려온다는 설도 있지만 뇌는 확실히 자극을 받고 있다.

그림 1 성장호르몬의 분비와 작용

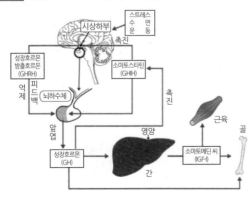

그림 2 멜라토닌의 하루 중의 변동

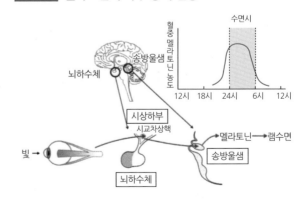

용어 소마토스타틴(성장호르몬억제인자, growth hormone regulatory hormone; GHIH, somatostatin),
소마토메딘 씨(성장호르몬의 골격조직 작용에 중개를 하는 물질, somatomedin C), 시상하부(hypothalamus), 송방울샘(송과선, pineal gland)

Q2 환경호르몬이란 무엇인가?

A 생체내의 호르몬과 아주 비슷한 구조를 갖는 물질로
외부로부터 체내에 들어와 내분비기능을 교란시키는 물질이다.

환경호르몬이라는 것은 「내분비교란물질」을 가리킨다.

생체내의 호르몬은 발생이나 성장 과정에서 조직의 분화, 성장이나 생식기능의 발달을 촉진한다. 또, 외부 환경이 변화해도 내부 환경을 일정하게 지키는 항상성(homeostasis)을 유지하는 작용을 하고 있다.

호르몬은 필요에 따라 혈액 속에 미량으로 분비되는데 전신의 적용되는 특정 조직(표적세포)으로 운반되어 작용한다. 표적세포의 세포막 표면이나 세포질 내에 특정의 호르몬과만 결합하는 수용체(리셉터)가 있다. 그래서 호르몬과 수용체는 열쇠(호르몬)와 자물쇠(수용체)의 관계처럼 합치하는 호르몬과 수용체가 정해져 있다. 환경호르몬은 외부로부터 체내에 들어와서 마치 대응호르몬인 척하고 수용체와 결합하고 소위 「여벌열쇠 상태」를 만들어 가짜 작용을 한다(**그림 1**).

환경호르몬은 본래 생체 내에서 운영되고 있는 정상 호르몬 작용에 영향을 주고 생체내분비계를 교란시켜 태아나 유아 등 기관 형성이 활발한 시기의 생체에 영향을 주거나 갖가지 질환을 일으킨다. 그것은 생체 내의 호르몬과 구조식이 상당히 비슷하기 때문에 수용체가 착각하고 그것을 받아들여서 그 후의 정보 전달이 잘못되기 때문이라고 생각할 수 있다.

또, 호르몬의 특성인 「미량으로 효과적인 것」이 원인 중의 하나라고도 생각할 수 있다. 이를테면 갑상샘 호르몬의 유효 농도는 1ng(나노그램)/L인데, 목욕탕 물에 한 방울 떨어뜨리기만 해도 그 효과가 있을 정도이다.

환경호르몬은 야생생물에게서는 수컷이 암컷화하는 생식기능의 영향 등 많은 보고가 있다. 그러나 사람에게서는 아직 확실한 영향은 알려진 바가 없고 현재 연구가 진행중이다. 의심되는 물질로는 다이옥신, 폴리염화비페닐류(PCB), 유기염소화합물(살충제 등), 트리부틸주석(배의 밑바닥도료 등), 비스페놀A(수지의 원료), 프탈산염(플라스틱의 가소제) 등이 있다.

그림 1 **내분비교란물질의 유사작용 메카니즘**

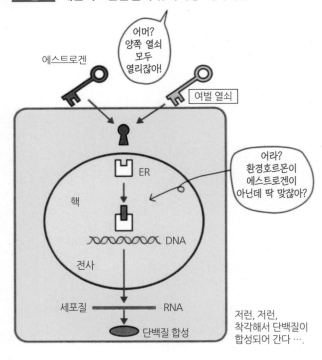

memo

Q3 요즘 자주 이야기하는 가압트레이닝을 하면 어떻게 근육이 붙는 건가?

A 몸이 가압에 속아서 가벼운 운동부하라도 큰 부하가 걸렸다고 몸이 착각을 하여 「빠른연축근육」이라는 근육이 단련된다.

가압트레이닝*에서는 팔이나 다리의 근육이 붙는 부분을 압박하고 혈류를 제한한다. 이 상태에서 운동을 하면 가벼운 부하라도 큰 부하가 걸렸을 때와 똑같은 효과를 얻을 수 있다.

적절하게 혈류를 제한하는 것으로 혈액이 팔이나 다리에 체류한다. 그러면 갈 곳을 잃은 혈액은 지금까지와는 다른 혈관으로 흐른다. 지금까지 흐르지 않았던 장소로 혈액이 흐르는 것으로 몸은 심한 운동을 했을 때와 똑같은 상태가 되었다고 착각한다(**그림 1**).

사람의 근육에는 「느린연축근육」과 「빠른연축근육」이라는 성질이 다른 두 종류의 근섬유가 있다. 느린연축근육은 산소를 사용해 활동하는 근인데 거의 두꺼워지지 않는 성질이 있다. 한편 빠른연축근육은 산소가 없어도 당을 연소시켜서 활동하고 두껍게 발달하는 성질이 있다.

근력업이란 일반적으로 빠른연축근육을 단련하는 것을 가리킨다. 느린연축근육은 가벼운 운동에도 금방 반응하지만 빠른연축근육은 큰 부하가 걸릴 때까지 반응하지 않는다. 그래서 빠른연축근육은 강한 부하가 걸리는 운동을 하지 않으면 단련되지 않는다. 가압하고 혈류를 제한하면 느린연축근육이 활동하기 위해 필요

한 산소가 부족한 상태가 되고 이 상태에서 운동을 하면 산소가 없어도 활동이 가능한 빠른연축근육이 활동하기 시작한다. 가압하는 것 때문에 몸이 「속아 넘어간」 상태가 되어 갑자기 빠른연축근육이 단련되는 것이다(**그림 2**).

빠른연축근육이 활동을 하면 에너지의 생산과정에서 발생하는 유산이 축적된다. 유산은 보통 혈액에 의해 운반되고 처리되지만 가압에 의해서 혈류가 제한되기 때문에 유산은 근육 내에 점점 축적되어 간다. 유산이 쌓인 것을 감지하고 감각신경이 뇌의 시상하부에 그 정보를 보내고 시상하부에서 뇌하수체로 그 정보가 보내져서 성장호르몬이 분비된다.

가압트레이닝 후 혈중에 함유된 성장호르몬의 양은 보통 트레이닝을 했을 때의 약 10배, 안정시의 약 290배나 된다고 한다. 성장호르몬은 피부의 당김이나 윤택을 되찾는 작용에 의한 미용효과나 중성지방의 분해를 촉진하는 작용에 의해 체지방을 감량하는 다이어트 효과도 기대되고 있다. 제압 후에는 혈행이 좋아지고 냉한 체질의 개선이나 어깨 결림의 완화에도 효과가 나타난다.

* 팔 아래 부분이나 허벅지 윗부분의 혈관을 제한한 후 근력운동을 하는 것(적절히 혈류를 차단한 후 운동하면 단시간에 피로물질인 젖산이 몸에 쌓이고 성장호르몬을 분비해서 운동효과를 높인다는 이론)

그림 1 가압트레이닝으로 근육이 붙는 구조

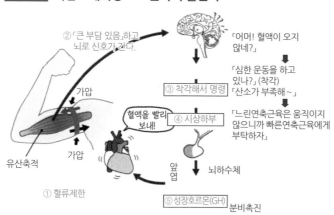

그림 2 운동강도와 활동하는 근섬유의 관계

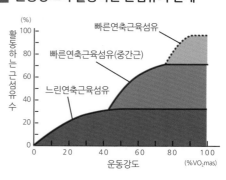

[출전]鈴木正之: 근력트레이닝 과학의 이론과 실제. 黎明書房, 나고야, 1999.

Q4 임신 검사약은 소변의 무엇을 조사하는 것인가?

A 태반의 모체가 되는 융모조직에서 분비되는 성호르몬의 하나로 소변 속에 나오는 인체융모성고나도트로핀(HCG)을 검출하는 것이다.

인체융모성고나도트로핀(HCG)은 수정란이 자궁에 착상하고 태아가 되는(수태) 직후부터 자궁융모조직인 태아의 영양막합포체층(태반의 일부)에서 만들어 지고 분비된다. 그 역할은 난소에 있는 황체의 분해를 막아 임신에 중요한 프로게스테론의 생산을 유지해서 임신상태를 보호하는 작용을 한다. 임신이 성립하지 않으면 황체는 백체가 되어 퇴화한다(**그림 1**).

프로게스테론은 자궁 안쪽을 혈관으로 두껍게 만들고 태아가 성장할 수 있도록 하는 작용이 있다. 또, HCG는 성선의 분화성숙이나 생식과정의 조절을 하는 호르몬 중의 하나이다.

HCG가 높아지는 원인은 임신 외에 융모성종양이나 비융모성종양(정소종양, 난소암, 췌암, 위암, 간암, 폐암 등)에 의한 본래 생산되는 곳이 아닌 이소성 hCG 생산이 있다.

HCG는 임신의 진단이나 경과 관찰, 또는 이상 임신의 진단이나 치료 후의 경과 관찰에 사용된다. 임신하면 HCG는 마지막 월경개시 일부터 23~24일에 모태의 혈액 속에서 검출되기 시작한다. 마지막 월경개시 일부터 28일 정도로 소변 속에서 50mlU/mL(IU/L) 정도 검출되기 때문에 그때부터 시판되는 HCG검출 키트인 임신 검사약으로 양성이 나온다. 또한 임신 2~3개월 후의 요 속에서는 10만~30만mlU/mL가 되고 혈액 속에서는 10~30μg/mL로 최고치가 된 후 약간 저하되었다가 출산 때까지 비교적 고수치를 유지한다.

다만 임신을 했는데 소변이 너무 옅어서 임신 검사약이 음성이 되는 경우가 있다. 수분을 다량 섭취한 후의 소변은 상당히 옅어서 요 속에 있는 HCG가 실제보다도 흐려지고 임신 검사약에서 음성이 나오는 것이다.

이것은 임신 초기에 자주 보이는 현상인데 빨리 검사받고자 하는 초조한 마음을 갖는 것도 요인 중의 하나일 지도 모른다. 검사를 확실히 하려면 아침에 일어나 최초로 나오는 소변으로 검사하는 것이 중요하다. 아침에 첫 번째로 나오는 소변은 하루 중에서 HCG농도가 가장 높기 때문에 임신 검사약이 오판할 가능성도 꽤 낮아진다. 의약품은 설명서를 잘 읽고 사용하자.

그림 1 임신과 인체융모성고나도트로핀(HCG)

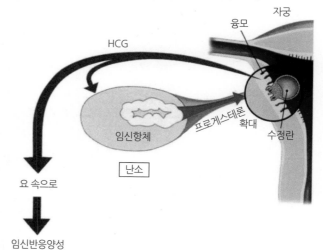

memo

Q5 아침에 못 일어나는 것은 병인가?

A 병일 가능성도 있지만
먼저는 자신의 라이프 스타일이 심야 형이 아닌지 확인해 보자.

「여하튼 아침에 일어나는 것이 괴로워…. 이불에서 벗어날 수가 없다니까」「일어나도 머리가 멍해서 학교에 가고 싶지 않은걸」. 이런 고민이 있는 사람이 있을 것이다.「저혈압이어서 아침에 일어나는 것이 힘들다」고 하는데 그것이 정말 원인인 것일까?

지금 자신의 생활 스타일을 생각해 보자. 24시간, 심야에도 영업을 하고 있는 편의점, 레스토랑, 렌탈 비디오, 만화방 등이 보급되어 있는「심야 형 사회」에 끼어서 살고 있는 건 아닌지. 또, 주야 규칙적인 생활을 해도 밤에 잠이 오지 않는 등 스트레스에 의한 불면증이나 수면장해를 일으키고 있지는 않는지. 짚이는 데가 있는 사람은 체내에 있는「생체 시계」가 잘못 되었을

지도 모른다. 그것이 원인이라면 스트레스를 없애고 규칙적인 생활에 신경 쓰면서 생체 시계를 수정할 수 있다.

다만 개중에는 하루의 생활 리듬을 제어하는 유전자의 이상이 원인이 되어 아침에 일어나기 힘든 사람도 있다. 생활리듬에 관계있는 시계 유전자는 지금까지 뇌 내에 여러 개 발견되어 있다. 그 중의 하나로 시계 유전자를 움직이게 하는 스위치 역할의「클록」은 수면에서 눈을 뜰 때까지의 체온을 조절하고 있다(그림 1).

이 유전자의 이상으로 기상 직후의 체온이 36℃에 이르지 않는 저체온 경향이 있는 사람은 정오 무렵에 맞이해야할 일일 체온의 피크가 오후 4~6시경의 저녁으로 밀려난다. 이래서 기상도 늦어지고 하루 종일 활동이 둔하게 된다. 소위「올빼미 형 인간」이라고 불리는 사람들이다. 이런 사람은 피크 시의 체온도 평균보다 약간 낮은 것 같다.

그림 1 생체리듬의 제어 시스템

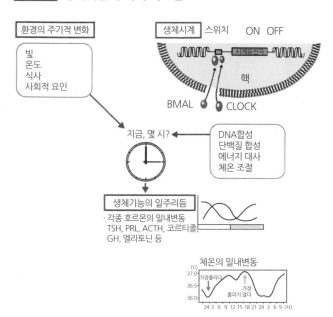

아침에 못 일어나는 병

기립성조절장애라는 아침에 일어나지 못하는 병이 있다. 이제껏「잘못된 생활 습관」이나「게으름」으로 인식해 왔던 현상이 최근에는 병으로써 인정되었다. 기립성조절장애는 사춘기에 일어나기 쉬운 자율신경기능의 실조라고 생각되는데 급격한 신체 발육 때문에 자율신경의 작용이 언밸런스해진 상태를 말한다.

Q6 콩팥과 부신은 무엇이 다른가?

A 콩팥은 주로 소변을 만드는 비뇨기관이다.
부신은 이름은 "부신(副腎)"이지만 콩팥과는 별개의 것으로
호르몬을 분비하는 내분비기관이다.

콩팥은 비뇨기계로 혈액을 여과해서 소변을 만드는 기관이다. 부신은 이름이 부신으로 되어 있지만 콩팥과는 전혀 별개의 것으로 호르몬을 생산하고 분비하는 내분비기관이다.

부신은 좌우의 콩팥의 상방에서 후복막 내에 있는데 한 개가 약 4~5g 정도이다. 내측의 속질이 전체의 20%, 외측의 겉질이 80%를 차지하고 있다. 겉질은 또 외측에서 토리층(15%), 다발층(75%), 그물층(10%)으로 나눈다.

토리층의 세포에서는 부신겉질호르몬의 미네랄코르티코이드(전해질코르티코이드)가 생산된다. 대표적인 것으로써 알도스테론이 있는데 콩팥의 요세관이나 집합관에 작용해 나트륨이나 칼륨이온의 농도 조절을 한다(**그림 1**).

다발층의 세포에서는 글루코코르티코이드(당질코르티코이드)가 생산된다. 당질 코르티코이드가 하는 대부분의 작용은 코르티졸에 의한 것이고 나머지는 코르티코스테론에 의한 것이다. 혈당치를 상승시키는 당신생작용이나 염증반응을 억제시키는 항염증작용이 있다(Q9 참조).

그물층의 세포에서는 성호르몬이 생산된다. 그 대표적인 것으로써 안드로겐이 있다.

속질세포에서는 아드레날린이나 노르아드레날린(카테코라민)이 생산되고 분비된다. 분비되는 비율은 약 80%가 아드레날린, 약 20%가 노르아드레날린이다. 그 작용으로는 심장촉진작용과 혈당상승작용이 있다. 즉, 심박수 증가와 간에 저장되어 있는 글리코겐을 포도당으로 바꾸는 작용이 있다.

그림 1 부신

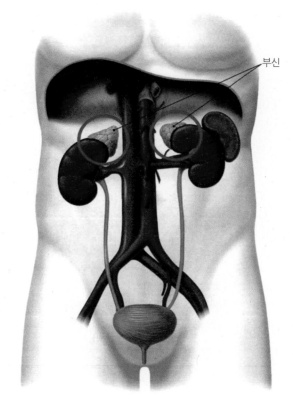

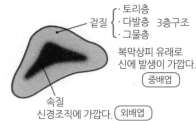

발생이 다른 조직이 하나로 된 것

Q7 페트병증후군이란 무엇인가?

A 페트병 음료로부터 부지불식간에 과도한 당분을 섭취하고 「청량음료수 케토시스」라는 당뇨병예비군이 되는 것이다.

실로 현대병이라고 할 만하다. 젊은이들이 페트병에 들어있는 청량음료수를 필요 이상 계속 마심으로써 일어나는 당뇨병성 케톤산증(diabetic ketoacidosis)을 말한다.

페트병 음료의 보급과 그 간편함으로 모르는 사이에 과도한 당분을 섭취한 것이 원인이다. 시판음료의 대부분은 100mL당 10g 정도로 상당한 양의 당질이 함유되어 있다. 그러나 스포츠음료수라면 괜찮을 거라는 인식은 없는가? 여기에도 100mL당 6g 정도의 당분이 함유되어 있다. 하루에 이것을 2L 정도 마신다고 하면 120~200g이나 되는 당분을 섭취하게 된다(열량으로써 470~780kcal). 120g의 설탕이란 2g의 스틱슈거라면 60개분으로 환산된다.

편의점에 가면 청량음료수를 무심코 사버리는 등 자신도 모르게 당의 과잉섭취가 습관이 된 사람(경도의 당뇨병 환자)은 주의하기 바란다.

갈증이 날 때마다 자동판매기 등의 주스류에 손을 뻗으면 혈당치가 비정상적으로 상승한다. 그래서 더욱 갈증이 나게 되고 또 다시 청량음료를 마신다는 악순환이 일어난다. 그 결과 혈당치가 올라가고 이자에서 분비되는 혈당치를 내리는 인슐린이 효과가 나지 않거나 인슐린 자체가 나오지 않게 된다. 몸이 당을 이용할 수 없는 상태가 되면 대신에 지방이나 단백질이 에너지원으로써 사용되기 시작한다. 그때 케톤체라는 독성을 가진 대사산물이 혈액 속에 발생한다(**그림 1**). 체내에 케톤체가 축적되면 전신의 권태감, 복통이나 구토,

심하면 의식장해로 혼수상태에 빠져 병원에 실려 가기도 한다. 거기에서 페트병증후군이라는 말을 처음 들은 경우도 많이 있다고 한다.

또, 고혈당에 의한 삼투성 이뇨로 탈수를 초래하며, 혈액의 삼투압이 상승하며 세포의 기능에 이상이 나타난다. 뇌는 고삼투압에 영향을 받기 쉬운 기관 중 하나로, 심한 경우에는 의식이 없어져서 조속한 치료를 필요로 하기도 한다.

그림 1 페트병 증후군이 되는 구조

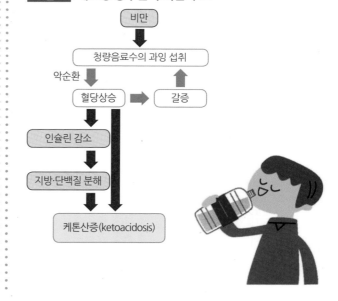

memo

Q8 스트레스는 몸에 어떻게 영향을 주는 걸까?

A 스트레스를 눈이나 귀로 인식하면 부신에서 「스트레스호르몬」이라고 불리는 코르티졸이 분비되어 끊임없이 몸이 긴장한 상태로 된다.

사람은 스트레스를 눈이나 귀로 인식하면 뇌의 하수체에서 ACTH(부신겉질자극호르몬)라는 호르몬을 분비하고 부신을 자극한다. 그러면 부신에서 스트레스호르몬이라고 불리는 코르티졸이 분비된다. 이것이 몸의 여러 기관에 작용하여 당을 만들어내게 한다. 또, 아드레날린이라는 호르몬도 거기에 협력하여 심박수나 혈압을 올린다. 이것은 긴장한 상태에 대응하기 위한 몸의 준비태세인데 이것이 일상적으로 계속되면 결국 몸은 부실해져 버린다(**그림 1**).

최근에 이와 같은 몸속에서 일어나는 반응의 메카니즘을 이용하여 스트레스 강도를 측정하는 방법이 개발되었다. 스트레스가 강해질수록 코르티졸이 증강하지만 이것을 이끄는 것이 17-OHCS(17α-하이드록시코르티코스테로이드)라는 물질인 것으로 알려져 있다. 이 17-OHCS는 소변으로 배설되기 때문에 그 농도를 조사해서 스트레스 강도를 측정할 수 있는 것이다.

『스트레스 정도 체크』라는 앙케이트 형식의 조사를 자주 볼 수 있는데 이들은 어디까지나 주관적인 견해에 의해서 만들어진 것이다. 그러나 소변 속의 17-OHCS를 조사하면 그 사람의 스트레스 정도를 객관적으로 평가할 수 있다.

같은 스트레스라도 그것을 크게 느끼는 사람이 있는가 하면 그렇지 않은 사람도 있다. 스트레스를 크게 느끼지 않는 사람을 보면 몸 안에서 스트레스에 저항하는 호르몬이 나오는 건 아닐까, 하는 의문이 일어난다.

근래 그 스트레스를 억제하는 물질인 「DHEA-S(디히드로에피안드로스테론설페이트)」라는 호르몬의 존재가 밝혀지게 되었다. DHEA-S는 면역력의 향상, 정력증강, 체력강화, 당뇨병에 대한 혈당강하 작용, 쾌면 효과, 항염증작용 등이 있는데 신경·내분비·면역 모든 회로에 관계되는 만능작용을 가진 호르몬으로써 주목을 받고 있다. 당연히 DHEA-S는 스트레스성 질환에 대한 특효약으로써도 기대되고 있다.

그림 1 **스트레스에 의한 부신기능의 저하가 몸에 미치는 영향**

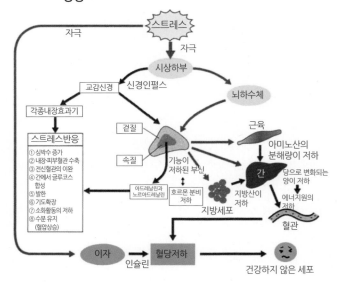

memo

Q9 피부염에 바르는 스테로이드란 호르몬인가?

A 부신겉질에서 분비되는 스테로이드호르몬에 항염증작용이 있는 것을 이용하여 인공적으로 만든 것이다.

부신겉질에서는 몇 종류의 스테로이드호르몬이 만들어져서 분비된다. 그 중 하나로 당질코르티코이드(glucocorticoid stimulation)가 있다. 이 호르몬은 다양한 작용을 하는데 그 중에서도 「강한 항염증작용」을 나타내는 것이 특징이다.

체내에서의 부신겉질호르몬의 작용으로는 다음과 같은 것이 있다.

① 간에서 포도당이 만들어지는 것을 촉진하고 혈당치를 올린다.

또, 단백질이나 지방의 분해를 촉진하고 에너지의 공급을 높이는 작용이 있다. 이것에 의해 여러 가지 스트레스에 대한 저항성을 얻을 수 있다.

② 뼈에 칼슘이 침착되는 것을 막고 뼈가 만들어지는 것을 억제한다.

③ 항원항체 반응에 의한 알레르기 반응을 억제한다.

④ 생체방어의 작용을 하는 면역세포로 일을 하고 그 기능을 억제한다.

부신겉질호르몬을 약으로써 사용하는 경우 주로 ③과 ④의 항염증작용을 기대하고 사용된다. 대부분의 부신겉질호르몬이 갖고 있는 항염증작용에 주목해서 인공적으로 다수의 스테로이드가 합성되고 약으로써 사용되고 있다. 스테로이드 중에 프레도니조론은 가장 빈번하게 사용되는 약이다(**그림 1**).

프레도니조론에 이어서 사용빈도가 높은 덱사메타손은 프레도니조론의 8배의 항염증작용을 갖는 강력한 약으로 효과가 지속되는 시간도 스테로이드 중에서 가장 길다는 특징이 있다. 덱사메타손은 바르는 약으로써 자주 이용된다.

의약품으로써 스테로이드를 이용하는 경우에 주의할 것은 항알레르기 작용이다. 사이토카인(cytokine)이나 항체의 생산을 억제하고 세포성면역을 저하시키는 것과 동시에 흉선, 림프절 등의 면역조직을 위축시켜 림프구, 호산구도 감소시킨다(호중구는 증가). 또, 너무 많이 사용하면 음성되먹임 작용에 의해 스테로이드 분비기관의 위축 및 기능저하 등이 우려된다.

스테로이드의 항염증작용은 생체에 염증이라는 현상이 일어나는데 필요한 프로스타글란딘의 합성을 방해하는 것이다.

그림 1 체내에서 만들어진 스테로이드호르몬

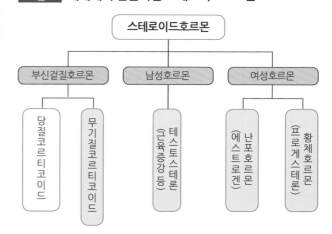

memo

Q10 「초인적인 힘」이란 정말로 존재하는 걸까?

A 평소에는 뇌가 힘을 절약해서 생활하고 있다.
그것이 정작 긴급 시에는 뇌의 제어가 풀리고 100%의 힘을 발휘한다.

「초인적인 힘」이란 화재나 지진과 같이 긴급할 때에 일반적으로는 생각할 수 없는 힘이 나오는 것을 말한다. 몸에 닥친 「위기감」이나 「위험회피능력」에 의해서 발휘되는 것이다.

사람이 「힘을 낸다」는 것은 몸의 근육을 사용하는 것을 말한다. 보통으로 생활을 하고 있는 한 근육을 100% 활용시킬 수는 없다. 기껏 낸다고 해도 70~80% 정도이다. 그것은 뇌가 근육의 활동을 70~80%만 낼 수 있도록 컨트롤하고 절약하고 있기 때문이다.

만약 반대로 본래 갖고 있는 힘을 100% 전부 낼 수 있다면 근육이나 뼈 자체를 파괴하게 될 것이다. 그렇지만 긴급 시에는 뇌의 절약 기능이 풀려서 사람의 뇌 내는 비정상적인 흥분 상태가 되고 「아드레날린」이 과잉 분비되어 100%의 힘을 발휘한다. 이럴 때는 100%의 힘을 내고 있기 때문에 몸에 큰 부담이 된다.

또, 화재나 재해에서는 화상이나 상처를 입을 수도 있다. 그러나 정신없이 달아나거나 살아나는 것만 생각하느라 그때는 그다지 통증을 느끼지 않는다. 그것은 사람의 뇌 내에서 「β엔돌핀」이라는 진통작용물질이 분비되는데 그 작용 때문에 그다지 통증을 느끼지 않는 것이다.

이 β엔돌핀의 진통작용은 모르핀의 6.5배나 되어서 뼈가 부러진 것조차 모르고 다른 사람을 구조하는 사람도 있다. 다만 사람을 구출한 후 문득 자신으로 돌아오면 뇌에서 β엔돌핀이 사라진 상태가 되어 갑자기 통증을 느끼게 된다. 사람에 따라서는 너무 아픈 나머지

기절해 버리는 사람도 있다.

초인적인 힘이야말로 사람이 가진 「잠재적 능력」의 하나인 것이다. 스포츠 선수는 매일 트레이닝을 하고 초능력에 가까운 힘을 내는 방법을 몸에 익힌다.

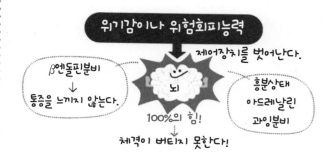

위기감이나 위험회피능력

β엔돌핀분비
↓
통증을 느끼지 않는다.

뇌

제어장치를 벗어난다.

흥분상태
아드레날린
과잉분비

100%의 힘!
↓
체격이 버티지 못한다!

memo

Q11 맥주를 마시면 왜 화장실에 가고 싶어지는 걸까?

A 알코올은 바소프레신이라는 항이뇨 호르몬의 작용을 억제하는 작용이 있기 때문에 콩팥에서 수분을 흡수하지 못하고 소변량이 증가한다.

「물은 잘 마시지 못 해도 맥주라면 얼마든지 마실 수 있지」라는 말을 술자리에서 자주 듣는다.

물은 위에서는 거의 흡수되지 않고 작은창자나 큰 창자에 가서야 몸에 흡수된다. 위에는 용량이 있어서 물을 단 번에 들이켜도 그 용량을 초과할 수 없다. 그에 비해 맥주 등의 술은 알코올을 함유하고 있어서 위벽에서 알코올과 함께 수분도 흡수된다.

또, 소변을 만드는 콩팥에서는 99%의 수분을 재흡수해서 수분의 재순환을 행한다. 그 재흡수를 촉진하는 것이 뇌하수체 뒤엽에서 나오는 바소프레신이라는 항이뇨 호르몬이다. 알코올은 그 작용을 둔화시키는 것뿐만 아니라 호르몬의 생성능력도 저하시키는 작용이 있다. 그래서 체내에서는 바소프레신이 작용하지 않기 때문에 수분이 재흡수되지 않는다. 맥주 등의 알코올을 마시면 재흡수 되어야 하는 수분까지 방광으로 모이고 소변이 차올라 참을 수 없게 되는 것이다. 그 결과 화장실에 자주 가게 된다(**그림 1**).

결국 콩팥에서 재흡수되는 물과 달리 맥주 등 알코올은 체외로 배출되기 때문에 더 많이 마실 수 있다.

맥주 외에도 커피나 차를 마시면 화장실에 가고 싶다고 한다. 이것은 알코올에 의한 메카니즘과는 달리 커피나 홍차에 포함된 카페인의 이뇨작용이다. 카페인은 혈관민무늬근육을 이완시키는 작용이 있어서 몸 전체의 혈관이 확장되고 순환혈류량을 증가시킨다. 당연히 콩팥을 통과하는 혈류량도 증가하기 때문에 그 결과 소변량이 증가하여 화장실에 가고 싶어지는 것이다.

그림 1 콩팥의 작용

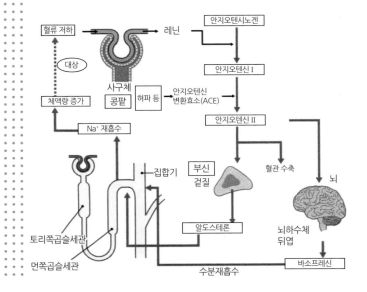

용어 토리쪽곱슬세관(근위요세관, proximal convoluted tubule), 먼쪽곱슬세관(원위요세관, distal convoluted tubule), 콩팥요세관(renal tubule)

Q12 사람에게 페로몬은 있는지?
페로몬과 호르몬은 별개의 물질인가?

A 사람의 페로몬으로써 명확하게 알려진 것은 없다.
페로몬과 호르몬은 다른 것이다.

호르몬은 같은 개체의 일정한 내분비기관에서 합성되어 혈액을 통해 분비되고 체내의 표적기관에 대해 영향을 미치는 물질이다. 한편 페로몬은 동종의 다른 개체에 작용하는 물질이기 때문에 호르몬과는 작용하는 상대가 다르다.

페로몬은 곤충의 세계에서는 의사소통의 수단으로 사용되는 것으로 유명하다. 벌이나 개미처럼 집단생활을 하는 곤충에게는 동료에게 적이 왔다는 것을 알리는「경보페로몬」이나 먹이에 도착할 때까지 길을 알려주는「길잡이페로몬」, 같은 집에 사는 동료인지를 식별하는「동소인식페로몬」, 여왕을 제외한 암컷의 난소발달을 억제하는「계급페로몬」등이 있는데 사회성 곤충 특유의 행동을 일으키는 역할을 맡고 있다.

페로몬은 서비기관(vomeronasal organ)이라는 곳에서 수신된다. 사람의 경우 비공의 내측 가까이에 있다고 하는데 퇴화되었다. 사람의 발생과정에서 태령 24주째 정도에 서비기관에서 신경속이 뻗어 나와 뇌의 선단에 있는 부후구(accessory olfactory bulbs)로 연결

된다. 그리고 한 번은 다른 포유류처럼 서비신경계가 완성되지만 부후구는 그 후에 태령이 진행됨에 따라 사라지고 출산 시에는 흔적만 남아 신생아에게 신경속이 남는 일은 드물다.

땀샘은 에크린땀샘과 아포크린땀샘이 있다. 에크린땀샘에서 나오는 땀은 체온을 조절하기 위해 발한하거나 긴장했을 때나 매운 것을 먹었을 때 발한한다. 또 하나 아포크린땀샘에서 나오는 땀은 체취를 동반하는 땀샘으로 액취의 원인이 된다(그림 1, 2).

사람은 진화의 과정에서 체모가 적어지고 에크린땀샘이 발달되어 땀으로 체온을 조절하게 되었다. 그와 동시에 아포크린땀샘의 기능은 퇴화되었다.

동물은 지금도 아포크린땀샘에서 나오는 땀이 이성을 유혹하는「성페로몬」의 역할을 하거나 상대를 식별하는 데 유용하다. 사람의 아포크린땀샘이 퇴화되었다고 해도 겨드랑이나 젖꼭지 주변, 성기 주변 등에 남아 있다. 사람은 옷을 입고 매일 목욕을 하기 때문에 냄새에 관한 감각기를 퇴화시켰다고 할 수 있을 것이다.

그림 1 에크린땀샘과 아포크린땀샘의 구조

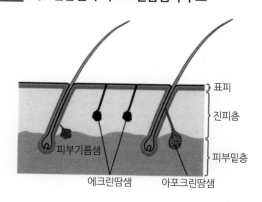

그림 2 땀샘의 신체 분포도

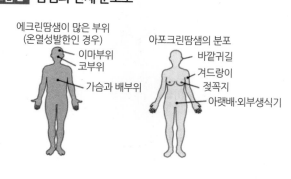

 이마부위(전두부, frontal region), 바깥귀길(외이도, external acoustic meatus), 에크린땀샘(eccrine sweet gland, merocrine sweat gland), 아포크린땀샘(apocrine sweat gland), 피부기름샘(sebaceous glands)

Q13 다시마를 먹으면 대사가 올라간다는데 정말인가?

A 몸을 건강하게 하는 호르몬인 갑상샘호르몬의 생성에는 요오드가 필요하다.
해조류에는 요오드가 많이 포함되어 있다.

내분비기관의 하나로 갑상샘이 있다(**그림 1**). 갑상샘에서 생산 분비되는 호르몬은 다른 내분비기관에서 만들어지는 호르몬과는 조금 다르다.

갑상샘의 여포상피세포에서 갑상샘글로블린(thyroglobulin, 티로글로불린)이라는 갑상샘 호르몬의 모체가 되는 당단백질이 합성된다. 그것이 여포라는 작은 주머니 안으로 분비된다. 거기에서 요오드와 결합(요오드화)하고 다시 여포상피세포로 흡수된다. 또, 가수분해를 받아 티록신(thyroxine, T₄)과 트리요오드타이로인(triiodothyronine, T₃)이 되어 분비된다. 이와 같이 갑상샘호르몬의 생성에는 요오드가 필수불가결이다.

갑상샘호르몬은 대사를 활발하게 하는 호르몬이다. 그 작용은 신진대사를 높이고 체온을 조절하고 심장이나 위장, 뇌의 작용을 활발하게 한다. 갑상샘호르몬은 「몸을 건강하게 하는 호르몬」이다(**그림 2**).

다시마, 미역, 김, 녹미 채, 큰실말, 우뭇가사리 등의 해조에는 요오드가 많이 포함되어 있다. 다시마국물이나 양갱, 한천 등 가공품에도 함유되어 있다. 몸을 건강하게 하려면 요오드를 많이 함유한 해초를 적극적으로 섭취하면 좋지만 많이 먹는다고 좋은 것만은 아니다. 너무 과잉 섭취하면 오히려 갑상샘의 작용을 억제하게 된다.

실제로 조미김이나 다시마 등 요오드를 많이 함유한 식품을 장기간 섭취했더니 요오드유발성 갑상샘기능저하증이 발생한 사례도 있다. 평소의 식단대로 식사를 하면 요오드 부족의 염려는 없으니까 해초를 의식해서 적극적으로 취할 필요는 없을 것이다. 오히려 해초 등 요오드를 많이 함유한 것은 너무 대량으로 섭취하지 않도록 주의하고 균형 있는 식사를 하도록 하자.

그림 1 갑상샘의 위치

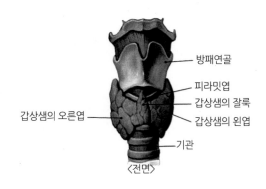

방패연골
피라밋엽
갑상샘의 잘록
갑상샘의 왼엽
갑상샘의 오른엽
기관
〈전면〉

그림 2 갑상샘호르몬의 합성과 분비

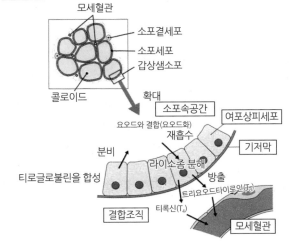

모세혈관
소포곁세포
소포세포
갑상샘소포
콜로이드
확대
소포속공간
여포상피세포
요오드와 결합(요오드화)
재흡수
기저막
분비
라이소좀 분해
방출
티로글로불린을 합성
트리요오드타이로인(T₃)
결합조직
티록신(T₄)
모세혈관

용어 갑상샘(갑상선, thyroid gland), 방패연골(갑상연골, thyroid cartilage), 피라밋엽(추체엽, pyramidal lobe), 갑상샘의 잘록(갑상선협부, isthmus of thyroid gland), 소포곁세포(parafollicular cells), 소포세포(follicular cells), 갑상샘소포(thyroid follicle), 소포속공간(follicle lumen, 콜로이드 함유)

PART 4

체온

Q1 추우면 몸이 부들부들 떨리는 것은 왜 그런가?

A 근육을 움직여 열을 생산하고 체온을 올리려는 반응이다.

추위가 심할 때는 턱이 덜덜 떨리거나 몸이 부들부들 떨린다. 자신이 의식하고 있지 않았는데 왜 몸이 제멋대로 떨리는 걸까?

우리 몸은 추울 때는 피부의 혈관을 수축시켜 밖으로 달아나는 몸의 열을 줄이려고 한다. 그러나 그래도 체온이 내려가는 경우에는 근육을 조금씩 진동시켜 몸속에서 열을 생산하고 체온을 유지하려고 한다. 그래서 턱이 덜덜 떨리거나 몸이 부들부들 떨리는 것이다.

이 「떨림」은 뼈대근육이 등척성 수축을 함에 따라 일어난다. 이 수축으로 근육의 운동이 전부 열로 전환되기 때문에 체내의 자율적 열생산으로써는 효율성이 좋다(**그림 1**).

근육을 움직이게 하면 에너지를 소비하고 열을 생산하지만 평균적인 체격을 가진 남녀의 경우 전신의 떨림에 의해서 1시간에 약 300kcal를 소비한다는 계산이 나온다. 이것은 30분 동안 조깅했을 때의 소비칼로리와 비슷하기 때문에 떨림에 의한 열량의 생산이 얼마나 큰가를 알 수 있다(**그림 2**).

감기에 걸렸을 때 등 발열 초기에 한기가 난다. 그때 떨림을 동반할 때가 있는데 그것을 오한전율이라고 한다. 이 떨림도 추울 때 일어나는 떨림과 같은 메카니즘으로 일어난다. 오한이 있을 때는 그 후에 열이 올라가기 때문에 주의가 필요하다.

그림 1 체온 조절 구조

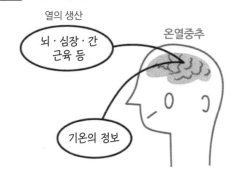

그림 2 체온의 조절기능과 열량

체온의 조절

中野昭一 편저 : 도해생리학. 의학서원, 도쿄, 2000: 268 에서 인용.

체열의 생산량과 방산량 (일일 2,700kcal로 한 경우)

생산		방산	
뼈대근육	1,570 kcal	복사	1,181 kcal
호흡근	240	전도와 대류	833
간	600	증발	558
심장	110	음식을 따뜻하게	42
콩팥	120	들숨을 따뜻하게	35
그 밖에	60	그 밖에	—
		운동(일)	51
계	2,700 kcal	계	2,700 kcal

Q2 체온계가 42℃까지 밖에 눈금이 없는 것은 왜 그런가?

A 몸이 견딜 수 있는 최고의 체온이 42℃이기 때문이다.

현재의 체온계는 디지털식이 일반적이지만 옛날에는 눈금이 있는 체온계를 사용했다. 그 체온계는 어느 것이나 42℃까지만 눈금이 붙어 있었다. 왜 꼭 42℃인 걸까?

그것은 몸이 견딜 수 있는 한계의 온도가 42℃이기 때문이다. 사람의 몸을 구성하는 주요 성분으로 단백질이 있는데 그 단백질은 42℃가 되면 굳어 버린다. 한 번 굳어버린 단백질은 원래대로 돌아가지 않는다. 그것은 삶은 계란이 원래 계란의 모습으로 돌아갈 수 없는 것과 같은 것이다. 요컨대 42℃가 되면 사람은 혼수상태 등의 의식장해를 일으키고 결국에는 죽음에 이른다.

사람의 체온은 뇌의 시상하부에 있는 체온조절중추에 의해 항상 36℃ 정도로 유지되고 있다. 그러나 바이러스나 세균에 감염되면 면역계의 활성화가 일어나고 체내에서 프로스타그란딘이라는 물질이 만들어 진다. 이 물질이 체온조절중추에 작용하여 체온을 상승시킨다. 아스피린 등의 해열제는 이 프로스타글란딘(prostaglandin)을 만들지 못하게 해서 체온을 내리는 것이다.

감기가 들어 발열했을 때 바로 해열제를 먹는 것은 그다지 현명한 것은 아닐 지도 모른다. 왜냐하면 체온의 상승은 면역계의 활성화를 촉진하고 몸에 준비되어 있는 자연치유력을 높이기 때문이다. 또, 세균에 대해서는 증식에 적합한 지적온도역보다도 온도를 올리는

것에 의해 증식을 억제하는 효과도 있다(**그림 1**).

다만 고열인 경우는 뇌의 장해를 막기 위해서도 해열제를 먹어서 체온을 내릴 필요가 있다.

그림 1 감기에 걸리면 왜 열이 나는 걸까

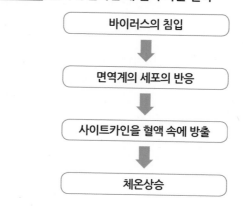

바이러스의 침입
↓
면역계의 세포의 반응
↓
사이트카인을 혈액 속에 방출
↓
체온상승

memo

Q3 왜 땀이 나는 걸까?

A 땀은 체온의 상승을 막기 위해서 나온다.

더울 때나 운동을 할 때 땀이 나는데 땀은 왜 나는 걸까?

더울 때에 땀을 흘리는 것을 온열성발한이라고 한다. 이것은 체온조절을 하기 위한 발한인데 기온이 높을 때나 운동에 의해서 체열의 생산이 항진되었을 때 나는 땀이다. 이 땀은 증발할 때 대량의 열을 빼앗아 간다(기화열). 요컨대 땀을 흘리는 것으로 체온의 상승을 막는 것이다(**그림 1**).

체중 70kg의 사람에게서 100mL의 땀이 증발되면 70kcal의 열을 뺏기기 때문에 체온이 1℃내려간다. 또 더울 때의 땀은 전신의 땀샘에서 나오는데 손바닥과 발바닥에서는 나오지 않는다.

그런데 더울 때나 운동을 할 때에만 땀을 흘리는 건 아니다. 「식은 땀」이나 「손에 땀을 쥐다」라는 말이 있듯이 긴장했을 때도 땀은 나온다. 또, 매운 것을 먹을 때에도 땀이 나온다.

긴장했을 때 나는 땀은 「정신성발한」이라고 한다. 이것은 정신적으로 동요되었을 경우에 일어나는 발한인데 온열성 발한과는 달리 땀을 흘리는 장소는 손바닥이나 발바닥, 또는 겨드랑이 뿐이다. 긴장의 정도에 따라 안면에도 땀을 흘릴 수가 있는데 이것을 「아드레날린 작동성 발한」이라고 한다.

매운 것을 먹었을 때 나는 땀은 「미각성 발한」이다. 미각의 자극에 의해 일어나는 것이므로 땀이 나는 장소는 안면이나 두피로 한정된다.

이와 같이 한 마디로 「땀이 난다」고 해도 그 원인으로는 세 종류가 있는데 각각 땀이 나오는 장소도 다르다. 상세하게는 Q4에서 설명하겠다.

그림 1 땀의 메카니즘

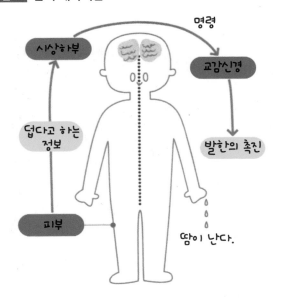

땀의 분류
1. 정신성발한
2. 아드레날린작동성발한
3. 미각성발한

memo

Q4 사람에 따라서 땀이 많이 나는 사람과 많이 나지 않는 사람이 있는데 왜 그런가?

A 비만 등으로 체열이 방출되기 어려운 사람이나 땀샘이 발달한 사람은 땀이 많이 나는 사람이다.

사람은 더위를 느낄 때나 스포츠를 할 때 등 체온이 상승했을 때 땀을 흘려서 상승한 체온을 내리려고 한다.

발한이 일어나는 메카니즘을 기온이 높은 경우로 간단하게 설명해 보자. 피부에는 더운 것을 느끼는 온각, 차가운 것을 느끼는 냉각이 있는데 그곳에서의 정보는 감각신경을 거쳐 뇌의 시상하부에 있는 체온조절 중추로 전달된다. 더운 경우는 그 중추에서 교감신경을 통해 땀샘으로 흥분이 전달되고 땀샘에서 땀이 난다고 하는 구조이다(**그림 1**).

비만인 사람은 땀을 많이 흘린다고 한다. 비만인 사람은 지방이 많기 때문에 체열이 밖으로 방출되기 어려운 경향이 있다. 따라서 보다 많은 땀을 흘려서 체온조절을 하려는 것이다.

땀을 많이 흘리는 사람이라고 하면 일상적으로 운동을 하는 사람도 그렇다. 운동을 하는 사람은 땀샘도 단련되어 있다. 그래서 약간 체온이 올라가기만 해도 땀을 흘리게 되는 것이다.

반대로 어릴 때부터 더운 여름날이라도 냉방이 잘된 시원한 방에만 있어서 땀을 흘릴 기회가 적었던 사람은 땀샘이 발달하지 않아서 땀을 잘 흘리지 않는 체질이 되어 버린다.

긴장이나 불안을 느꼈을 때 보통 사람보다 땀이 많이 나는 다한증이라는 것이 있다(**그림 2**). 다한증에는 전신에서 땀이 나는 「전신다한증」과 얼굴, 머리, 손바닥 등 국소적으로 땀이 나는 「국소성다한증」이 있다. 그 원인은 스트레스나 불안, 긴장 등 정신적인 것에서 식생활, 유전, 비만, 호르몬의 불균형 등을 들 수 있다. 손바닥에만 흘러내릴 정도로 비정상적으로 땀을 흘리는 경우는 다한증일지도 모른다.

그림 1 온열성발한의 구조

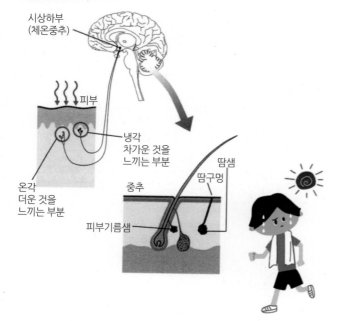

시상하부
(체온중추)

피부

냉각
차가운 것을
느끼는 부분

온각
더운 것을
느끼는 부분

중추

피부기름샘

땀샘

땀구멍

그림 2 정신성발한과 미각성발한

긴장하는 장면   정신성발한   매운 것을 먹었을 때   미각성발한

Q5 땀은 어느 정도 나올까?

A 최대로 1시간당 4L의 땀이 나온다.

땀은 땀샘이라는 곳에서 분비된다. 그 땀샘에는 에크린땀샘과 아포크린땀샘이라는 두 종류가 있다.

평상시의 「땀」을 흘리는 것은 에크린땀샘으로 이것은 전신에 퍼져 있고 성인의 피부에는 약 300만 개의 에크린땀샘이 있다. 아포크린땀샘은 액와, 젖꼭지, 외음부에만 분포해 있는 땀샘이다.

모든 에크린샘이 최대한으로 작용하면 땀의 양은 1시간 당 4L를 넘는다. 그 땀의 성분의 99%는 물인데 그것 이외에 염분 등의 전해질, 대사산물이나 노폐물을 포함하고 있다. 따라서 대량의 땀을 흘린다는 것은 몸의 수분(체액)이 소실되는 것뿐 아니라 염분도 소실되기 때문에 생명에 위험한 상태가 될 수도 있다.

그럼 땀의 염분농도는 어느 정도일까?

땀을 대량으로 흘리면 염분 농도는 증가한다고 한다. 염분 농도가 약할 때는 0.39%인데 대량으로 땀을 흘리면 0.6~1.0%나 된다. 따라서 스포츠 등으로 대량의 땀을 흘렸을 때는 물이 아니고 염분이 함유되어 있는 스포츠음료수 등으로 수분 보충을 하는 것이 좋다고 할 수 있다.

표 1 땀과 소변의 성분

물질	땀	소변
염화나트륨	0.648~0.987%	1.538%
요소	0.086~0.173	1.742
유산	0.034~0.107	측정 안 됨
유화물	0.006~0.025	0.355
암모니아	0.010~0.018	0.041
요산	0.0006~0.0015	0.129
크레아티닌	0.0005~0.002	0.158
아미노산	0.013~0.020	0.073

memo

PART 5

생식기

Q1 왜 여성은 생리를 하는 것인가?

A 임신에 대비하여 수정란을 받아들일 준비를 하는 것인데
임신이 일어나지 않으면 그것을 스스로 파괴해 버린다.
그것이 약 28일 주기로 매달 일어난다.

하늘에 뜨는 「달」은 만월에서 초승달로 매일 그 모양을 바꾼다. 이 달의 주기는 약 29.5일로 여성의 성주기에 가까운데 생리가 「월경」으로 불리는 유래이다. 처음 생리를 「초조(초경)」라고 부르는 것도 달이 차고 이지러짐에 따라 일어나는 조수의 간만에서 온 것이다.

생리는 뇌의 지령에 의해 여성호르몬의 분비가 조절됨에 따라 일어난다. 먼저 뇌하수체에서 난포자극호르몬이 분비되고 난소 내에 있는 난자를 싸고 있는 난포를 성숙시킨다. 난포에서는 에스트로겐이 분비되고 자궁의 내측이 임신에 대비해 두터워진다(자궁내막의 기능층). 혈중 에스트로겐이 증가하면 뇌하수체에서 이번에는 황체형성호르몬이 분비된다. 이 호르몬은 성숙난포를 자극하여 배란을 유발한다(**그림 1**).

난자가 배란되면 난소 내에 남겨진 난포는 황체로 변화해서 프로게스테론이라는 호르몬을 분비한다. 이것은 자궁내막의 혈관이나 분비선을 발달시켜 내막을 더욱 두텁고 부드럽게 하고 수정란이 착상하기 쉬운 상태를 만든다. 그러나 수정이나 임신이 일어나지 않으면 황체호르몬은 약 2주 만에 분비되지 않게 된다. 자궁 내막에서 분비되는 프로스타글란딘이라는 호르몬의 작용으로 자궁이 수축하고 필요 없어진 자궁내막이 떨어져 나가 체외로 배출된다. 이때 혈관도 함께 떨어져 나가서 약 90mL의 혈액이 배출된다. 이것이 생리(월경)라는 것이다.

배란 주기는 체온과 밀접한 관계가 있다. 에스트로겐은 체온을 올리고 고온기를 유지하는데 프로게스테론은 체온을 내리는 작용이 있어서 저온기를 만든다.

그림 1 여성호르몬과 성주기

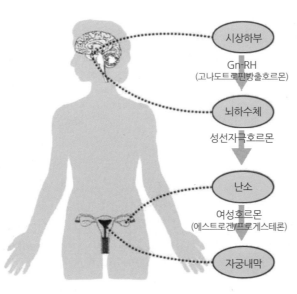

시상하부

Gn-RH
(고나도트로핀방출호르몬)

뇌하수체

성선자극호르몬

난소

여성호르몬
(에스트로겐/프로게스테론)

자궁내막

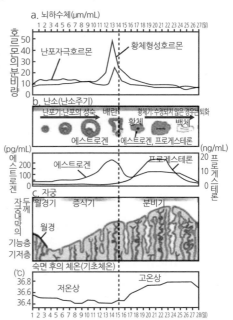

난포자극호르몬(FSH)과 황체형성호르몬(LH)은 뇌하수체앞엽에서 분비되는 호르몬이다. 에스트로겐과 프로게스테론의 분비를 촉진하는 것 외에 난포를 성숙시키고 남성에게서는 정소에 작용하여 남성호르몬의 분비를 촉진한다. 양쪽 모두 성선자극호르몬(고나도트로핀)인데 간뇌의 시상하부에서 분비되는 고나도트로핀방출호르몬(GnRH)의 작용으로 분비 촉진된다. 또, 에스트로겐(난포호르몬)과 프로게스테론(황체호르몬)이 혈액 속에 증가하면 음성되먹임 작용에 의해 GnRH의 분비를 억제한다.
에스트로겐은 난소의 난자를 둘러 싼 난포에서 분비된다. 여성의 제2차 성징의 발현, 생식기능유지나 난포의 성숙, 배란촉진, 자궁내막의 증식 등 성주기의 전반을 유지하는 역할을 하고 있다.
한편 프로게스테론은 난소의 난자를 둘러 싼 난포와 배란 후의 황체에서 분비된다. 난포발육의 억제 등 성주기 후반의 유지, 자궁내막의 비후, 임신지속작용 등의 역할을 한다. 프로락틴(PRL)은 임신 중이나 산후에 뇌하수체에서 분비된다. 젖샘의 분화·발달, 유즙합성, 유즙분비, 임신유지, 모성행동 등의 역할을 맡고 있다. 옥시토신은 뇌하수체뒤엽에서 분비된다. 분만시의 자궁수축이나 유즙 분비를 촉진하는 역할을 하고 있다.

Q2 생리는 옮긴다는데 정말인가?

A 아포크린땀샘에서 나오는 땀 냄새가 페로몬 효과가 되어
동성의 성주기를 동조시킬 수 있다.

생리는 전염병처럼 감염되는 것은 아니지만 이것은 전혀 근거 없는 얘기는 아니다.

사람의 피부에는 땀을 내보내기 위한 땀샘이 있다. 평소에 땀을 내보내는 땀샘은 에크린땀샘이라 해서 몸의 표면에 200만 개 이상 퍼져있다. 땀은 보통 수분을 밖으로 내보내고 몸의 표면의 체온을 내리는(조절하는) 작용을 한다.

땀샘으로는 또 하나 겨드랑이 밑에 많이 존재하므로 체취의 원인이 되는 아포크린땀샘이 있다. 아포크린땀샘은 젖꼭지, 음부에도 많이 분포해 있어서 강한 냄새를 발하는 땀샘으로 알려져 있다. 이 냄새의 성분이 생리를 전염시키는 원인이라고 한다.

체취는 성주기와 깊은 관련이 있는데 아포크린땀샘에서 나오는 냄새는 이성을 끌어들이는 일종의 페로몬이라고 생각된다. 그것이 동성(여성)에 대해서는 생리를 동조시키는 것이 된다.

도미토리 이팩트(기숙사 효과)라는 말이 있다. 이것은 미국에서 공동생활을 하는 기숙사에서 「생리가 옮겨 간다」는 현상이 빈번하게 확인되었기 때문에 나온 말이다.

또, 가족 중에 생리가 전염되었다는 경험이 있을 것이다. 가족 등 가까이에 있는 사람과는 식생활이나 생활의 리듬이 비슷하기 때문에 다른 사람으로부터 생리가 옮겨진다는 말을 듣고 그렇게 인식하면 정신 상태에 따라 생리가 앞당겨진다고 생각할 수 있다.

생리는 여성호르몬의 하나인 황체호르몬의 분비가 멈춤에 따라 일어난다. 그래서 호르몬 분비를 조절하는 뇌의 시상하부의 밑에 있는 뇌하수체를 자극하는 것도 생각할 수 있다. 운동회나 수학여행이 가까워지면 생리가 시작되는 것은 정신적 흥분이 뇌에 작용해서 호르몬 조절을 하고 있다고 생각할 수 있다.

Column

사람의 페로몬

사람에게 페로몬 같은 물질이 존재한다는 것은 틀림없다. 그러나 실제로는 확실한 페로몬이 발견된 것은 아니고 그것을 감지하는 기관이나 그 정보를 전달하는 법 등 미지의 것뿐이다. 페로몬이 감각기계 같은 정확한 신경회로에서 뇌로 전달되는 것이 아니고 애매한 느낌에 잠재의식으로 뇌에 전달되는 왠지 모르게 신비한 점이 좋은 것일 수도 있다. 「그 사람과는 파장이 맞아」, 「그 애와는 생리적으로 무리야」, 「그녀와 있으면 어쩐지 편안해 져」 이유를 물으면 정확하게 대답할 수 없는 심신의 반응이라는 것이 실은 사람에서 페로몬의 작용 아닐까?

Q3 생리 전이 되면 단 음식이 먹고 싶은데 왜 그럴까?

A 생리는 평소보다 한층 더 에너지를 소비하기 때문에
저혈당에 의한 초조감 등 정서 불안을 해소하기 위해
몸이 당을 요구하는 것이다.

여성들 대부분에 생리(월경)가 시작되기 1~2주 전부터 초조, 나른함, 무기력, 집중력 저하, 우울상태, 정서불안정, 욕구충동이라는 정신증상이 나타난다. 그에 더하여 두통, 어깨 결림, 요통, 설사, 변비, 배가 당김, 구역질, 유방이 당김, 부종, 과식, 체중증가 등의 신체 증상도 동반된다.

이 일련의 증상을 월경전증후군(PMS)이라고 한다. 그 증상은 개인차가 크고 증상도 다양한데 보통은 월경개시와 동시에 사라진다. 원인은 여성호르몬의 농도가 급격하게 변동하고 균형이 무너졌기 때문이라고 생각할 수 있다.

또 월경이 시작됐는데도 하복부통, 요통, 두통 등의 증상이 며칠간 지속될 경우 월경곤란증이라고 한다 (그림 1).

월경전증후군(PMS)은 정신의 불안정으로 주위와 문제를 일으키거나 집중력이나 판단력 저하로 실수를 반복하므로 공부나 일에 영향을 줄 수도 있다. 또, 두통이나 현기증이 심해지고 식사를 못하게 되거나 반대로 과식을 하거나 특정한 음식(단 음식 등)을 무턱대고 먹거나 한다. 월경전증후군은 월경이 있는 임신 가능한 여성이라면 누구에게라도 일어날 수 있다. 젊을 때는 그 증상, 빈도도 많은데 40세를 넘기면서 연령과 함께 저하된다. 임신, 출산을 경험하면 월경전증후군은 많이 개선되고 출산 횟수가 많을수록 월경전증후군의 발현빈도는 저하한다.

생리 전에는 기초체온의 상승에 따라 기초대사도 올라간다. 기초대사가 올라간다는 것은 필요 이상으로 에너지가 필요해진다는 것을 의미한다. 단 것에는 당이 포함되어 있는데 바로 글리코겐으로 분해되기 쉽다. 그리고 먹으면 재빨리 에너지로 변화해서 뇌를 비롯한 전신을 활성화 시켜 준다. 그러면 정신이 안정이 되어서 초조함이 없어지게 된다.

또, 생리 전에는 호르몬의 영향으로 혈당치가 내려가기 때문에 과식을 하는 경향이 있다. 이것은 월경에 의한 소모에 대비해서 몸이 준비를 하기 때문이다. 특히 단 것을 찾는 것은 생리 전의 정서 불안을 치유하고 싶다는 몸의 욕구에 의한 것이 아닐까.

그림 1 월경전증후군(PMS)과 성주기호르몬 변화

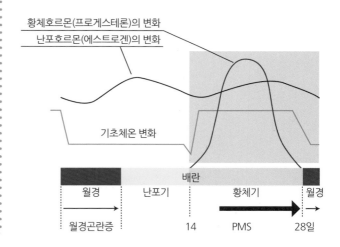

memo

Q4 생리통은 무슨 통증인가?

A 생리통은 신체적으로는 자궁을 수축시키는 통증이고 정신적인 요인에 의해 여러 가지 증상이 나타난다.

매달 자궁은 수정란이 착상·생육할 수 있도록 임신 준비를 한다. 그리고 임신하지 않았을 때 불필요하게 된 자궁내막이 출혈을 동반하고 체외로 배출되는 것이 생리이다(Q3 참조).

「아프다」「나른하다」「부종」「우울함」등 생리에 의한 불쾌감과 몸 상태가 좋지 않아서 괴로웠던 경험이 있을 것이다. 생리가 시작되기 직전이나 생리 중에 일어나는 통증을 생리통이라고 부른다. 생리통에는 프로스타글란딘의 과잉분비, 자궁의 미성숙, 신체적 및 정신적 스트레스 등 몇 개의 요인이 있다.

필요 없어진 자궁 내막을 배출할 때 자궁내막에서 프로스타글란딘이라는 호르몬이 분비된다. 이 호르몬은 자궁을 수축시키거나 필요 없어진 자궁점막을 혈액과 함께 체외로 밀어내는 작용이 있다. 프로스타글란딘의 분비량이 많으면 필요 이상으로 자궁이 수축하고 하복부통이나 요통의 원인이 된다(**그림 1**). 그 분비량은 체질에 따라 다르다.

초경을 시작한 지 몇 년된 사춘기 여성의 자궁은 자궁구가 좁고 단단하고 미성숙하기 때문에 자궁 밖으로 혈액을 원활하게 밀어내지 못한다. 그래서 보다 강하게 자궁을 수축시켜서 혈액을 내보내려고 통증이 일어난다. 이 통증은 출산을 경험하고 자궁이 성숙하게 되면 자연스럽게 완화된다.

냉방으로 몸이 차고 혈류가 나빠지거나 장시간 서서 일하므로 부종 등의 혈행 장해를 일으키는 등 몸에 부담이 되면 통증을 보다 강하게 느낄 수도 있다.

생리통은 정신 상태나 성격에 따라서도 크게 좌우된다. 생활환경의 변화 등 정신적인 스트레스에 빠지게 되면 통증이 증가할 수도 있다. 또, 사춘기에 심한 생리통으로 고민했던 사람 중에는 「생리 = 아픔」이라는 기억이 남아 육체적으로는 아무런 문제가 없는데도 아플 수 있다. 생리에 대한 혐오감이나 불안감이 더욱 통증을 조장하는 모양이다.

그림 1 **생리통의 구조**

프로스타글란딘의 분비량이 많으면 필요 이상으로 자궁이 수축해서 생리통이 일어난다.

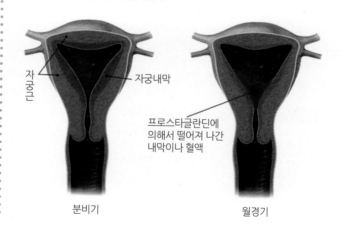

자궁근 · 자궁내막 · 프로스타글란딘에 의해서 떨어져 나간 내막이나 혈액

분비기 · 월경기

memo

Q5 월경 시에 작은 자궁에서 약 1주일간이나 다량의 생리혈이 나오는 것은 왜일까?

A 생리혈은 혈액만이 아니고 자궁점막을 포함한 혼합액이다.
생리혈은 자궁사이즈나 매달 호르몬의 분비량,
자궁구의 크기와 자궁의 위치에 관계되어 있다.

일 회의 월경기간 중에 생리양은 많은 날이 하루 30g, 기간 중 전부 합쳐서 50~100g(평균 82.5g) 정도이다.

생리혈은 보통 혈액처럼 보이지만 자궁내막의 표면부분(자궁내막의 기능층)의 조직이 떨어져 나가고 그 점막이나 점액, 혈액이 섞인 것이다. 파괴된 자궁내막에서 나온 「플라스민」이라는 효소에 의해서 혈액을 굳게 하는 응고인자가 파괴되어 모두 분해되기 때문에 단지 혈액만 있는 것처럼 보이는 것이다.

출혈량이 많을 때에 조각 같은 덩어리가 가끔 섞이는 것은 효소의 작용이 불충분해서 분해하지 못한 혈액이 응고해서 밖으로 나오기 때문이다. 그러나 엄지손가락 정도의 덩어리라면 걱정할 일은 없다.

무배란성 월경은 자궁내막의 박탈이 불완전하기 때문에 출혈이 지속되어 과다월경이 된다. 월경 중에는 혈액이 일일 2mL이상 손실되면 빈혈이 된다고 한다. 단지 2mL씩인데도 매일 손실이 되면 의외로 영향이 크다. 그래서 출혈이 오래 지속되면 나른함이나 숨이

차는 등 몸 상태가 좋지 않은 원인이 된다. 생리혈량이 많은 날은 특히 조심하도록 하자.

경구피임약은 복용하는 동안에 배란을 멈추기 때문에 거의 100%의 피임효과가 있는 약으로써 알려져 있다. 배란을 억제하기 위해 생리양도 적으므로 과다월경이 있는 사람에게 가장 적당하다. 또, 월경통만이 아니고 월경전증후군도 가볍게 할 수 있다.

그럼, 「왜 출혈이 며칠이나 걸려 지속되는 걸까?」

생리혈이 한 번에 나오지 않고 며칠에 걸쳐 나오는 것은 자궁의 사이즈나 매달 호르몬의 분비량, 자궁구의 크기와 관계가 있다(**그림 1**). 자궁 입구는 빨대보다 가는 구멍이다. 그래서 혈액이 그곳을 통과하는 데는 어느 정도의 일수가 필요하다. 또, 혈액이 나오는 데는 자궁의 위치도 관계가 있다. 자궁은 혈액이 원활하게 흐르는 각도로 되어 있는데 자궁의 위치가 앞뒤로 많이 기울어져 있으면 혈액이 나오기가 어렵기 때문에 시간을 끌거나 중간에 끊겼다가 후반에 다시 양이 증가하는 일이 일어난다(**그림 2**).

그림 1 자궁의 각도 (정상 : 전경전굴)

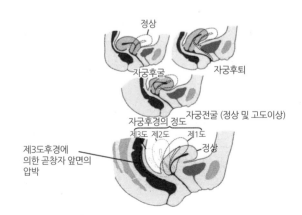

그림 2 월경주기와 자궁내막의 두께

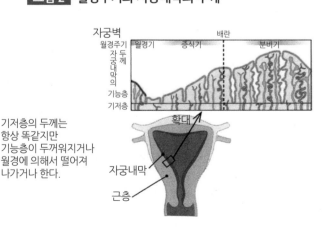

기저층의 두께는 항상 똑같지만 기능층이 두꺼워지거나 월경에 의해서 떨어져 나가거나 한다.

Q6 생리통일 때는 활동하는 것이 좋을까?

A 심한 운동은 역효과다!
느긋한 체조로 유산소운동을 하면 심신 모두 편안해져서
생리통에 유효하다.

생리통의 원인에는 몇 가지가 있다. 그 하나로써 정신적 스트레스나 긴장 등으로 교감신경이 비정상적으로 우세하게 작용하여 혈관이나 자궁의 민무늬근육에 과도한 수축을 일으켜 자궁에 혈액의 공급부족이나 산소부족을 초래함에 따라 일어날 수 있다.

산책이나 요가, 태극권 등의 동작이 느린 체조로 유효한 유산소운동을 적당히 행하고 기초대사를 올려 좋은 혈액순환을 유지하는 것은 생리통 개선에 긍정적인 영향을 기대할 수 있다. 생리 중이라고 해서 집에 있지만 말고 워킹 내지는 조깅 등으로 외출을 하면 생리중의 초조함이나 우울함 등 정신적 스트레스가 경감되는 약이 될 수도 있다.

그러나 심한 운동이나 몸을 차갑게 하는 수영 등은 피하는 게 좋다. 격하게 운동을 한 후 바람, 추위, 습기 등의 영향을 받아 몸을 차갑게 하면 혈관 주변에 있는 근

육이나 내장의 민무늬근육이 비정상적으로 수축을 일으켜 자궁으로의 혈액의 공급부족이나 산소부족을 초래할 수 있는데 그것이 원인이 되어 생리통을 악화시킬 수도 있다. 몸을 차갑게 하는 것은 생리통에 있어서 중대한 문제이다. 차가운 것을 먹거나 마심으로써 내장이 차가워지고 근육의 수축력이 강해져 생리혈의 흐름이 나빠지는 것이 원인이 되어 생리통이 일어난다.

또, 몸을 움직이는 것을 싫어하는 사람이 무리하게 운동을 해서 그것이 고통이 되거나 정신적 스트레스를 받아서는 아무런 해결도 되지 않는다.

「유산소 운동을 하는 것은 어렵다」는 사람은 허리(골반) 돌리기, 허리굽히기, 허리펴기 등, 「운동」이라기보다는 「체조」에 의한 단시간의 스트레칭을 권한다. 혈행을 좋게 하고 생리통을 완화시켜 주니 한 번 시도해 보는 것은 어떨까.

생리통을 완화시켜 주는 음식

생리중에는 차가운 것이나 소화시키기 어려운 것, 매운 것 등의 자극적인 것은 피하도록 하자. 몸이 차가워져서 혈행이 나빠지면 생리통이 심해진다. 생강탕 등으로 혈행을 개선하자. 또, 여성호르몬의 밸런스를 찾아주는 비타민 B_6나 비타민 E, 철분이나 아연 등의 미네랄을 섭취하도록 하자. 안티에이징이나 피부미용 효과도 기대할 수 있다. 특히 대두배아에 함유된 이소플라본은 에스트로겐과 아주 비슷한 화학구조식을 갖고 있어서 같은 작용을 하기 때문에 생리통을 완화시켜 준다. 또, 매일 탄산수(콜라는 안 되고 무당의 발포수)를 마셔서 체질개선을 하는 것도 좋다고 한다. 한 번 시도해 봐도 좋을 것이다.

Q7 임신되지 않는 날이란 있는 것인가?

A 난자와 정자의 수명을 생각하면 배란일 3일 전 ~ 배란일 후 1일 정도가 임신하기 쉬운 날이고 그 이외의 날짜가 임신이 어려운 날이다.

자궁에서는 좌우의 난소에서 성숙한 난자가 매달 교대로 하나씩 배란된다. 배란된 난자는 자궁관 내에 뚫고 들어온 정자를 기다린다. 정자는 몇 개나 되는 관문을 뚫고 난자에게 도착한다.

우선은 제1의 관문으로써 자궁목관이 있다. 이 안은 점액으로 가득 차 있는데 특히 배란 시에는 그 점액이 평소의 10배 정도여서 뚫고 지나가는 게 곤란한 상태가 된다. 게다가 자궁목은 좁아서 정자가 통과하기가 어렵게 되어 있다. 빠져 나가면 제2의 관문인 자궁몸통~자궁바닥이 기다리고 있다.

여기에서는 정자가 이물질로 인식되어 백혈구의 공격을 받는다(생체방어반응). 이 관문을 통과하였을 때는 최초에 3억 정도였던 정자가 6만 개 정도로 감소해 있다고 한다. 다시 정자는 자궁관 내로 진행한다. 이것이 제 3의 관문인데 자궁관 내에는 융모가 정자가 진행하는 방향과는 역방향으로 자라나 있다. 또, 자궁관의 상피도 얽혀 있어서 사이를 빠져 나가 진행하지 않으면 안 되기 때문에 정자의 진행은 방해를 받는다. 그리고 난자가 기다리는 자궁관팽대부에 도착했을 때는 정자는 수백 개 정도로 되어 있다. 그 중에서 단 하나의 정자와 난자가 수정한다. 그리고 수정란은 데굴데굴 구르면서 세포분열을 반복하고 자궁을 향해 이동한다. 거기에서 경이롭게도 자궁점막에 머물러 착상하고 임신이 성립하는 것이다(그림 1).

난자는 일생에 400회 정도 배란되어서 그 수만 임신의 가능성이 있다. 또 난자의 수명은 6~24시간으로 배란 직후의 신선한 난자 쪽이 수정하기 쉽다. 그때까지 정자가 도착하지 않으면 수정은 성립되지 않는다.

단 실제는 정자가 먼저 수정되는 장소에 도착해서 배란을 기다리는 패턴이 많을 것이다. 정자의 수명도 3~5일이라고 하니 배란일 전 3~5일 이내에 성교가 있으면 자궁관 내에서 정자가 살아 있고 수정이 성립하게 된다.

수정 가능한 날은 정자의 수명을 3일, 난자의 수명을 1일로 생각하면 배란일의 3일 전~배란일 후 1일은 임신하기 쉬운 날이 되고 그 이외의 날이 임신하기 어려운 날이다.

최종적으로는 임신은 수정 후에 자궁에 착상하게 됨으로써 성립한다.

그림 1 수정 후에 자궁 내에 착상하는 수정란의 모습

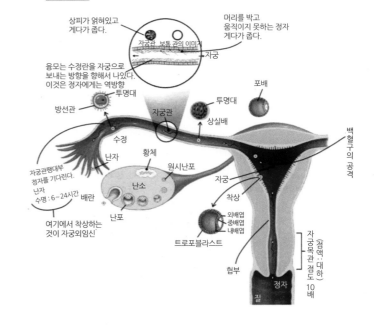

 자궁관(난관, uterine tube), 자궁목관(자궁경관, cervical canal). 자궁목(자궁경부, cervix), 자궁몸통(자궁체부, body, corpus), 자궁바닥(자궁저부, fundus), 주머니배(포배, blastula), 방선관(corona, radiata), 황체(corpus, luteum), 원시난포(primordial, follicle), 자궁관팽대(난관팽대부, ampulla), 외배엽(ectoderm), 중배엽(mesoderm), 내배엽(endoblast)

Q8 수정되는 정자는 하나인데
왜 정액 속에는 몇 억 개나 되는 정자가 있는 것일까?

A 원리적으로는 난자 한 개와 정자 한 개가 있으면 수정된다.
그러나 여성의 몸에는 관문이 몇 개나 있어서
난자에 도착할 확률을 높이는 데는 최초의 수가 중요하다.

수정은 원리적으로는 난자 한 개와 정자 한 개가 있으면 성립한다. 1회의 사정에 의해 약 3억 개의 정자가 나오지만 여성의 체내에는 몇 개나 되는 관문이 있어서 최종적으로 난자에 도착하는 정자는 수백 개에 지나지 않는다(Q7 참조). 거기에 타이밍 좋게 건강한 난자가 있으면 좋지만 난자에게도 수명이 있어서 배란 후 그 수정 능력은 점점 떨어진다. 최초의 수가 적으면 무사히 난자에게 도착하여 수정할 수 있는 확률이 내려간다.

여기에서 정액의 이야기를 해보자. 정액에는 망울요도샘, 전립샘, 정낭 3종류의 분비액에 정자가 더해졌다. 사실 정자는 정액 속에 겨우 1%밖에 없다. 그 내역은 정낭액이 약 2.5mL, 전립샘액이 약 0.5mL, 망울요도샘액이 약 0.2mL이고 이들이 합쳐져서 정액이 형성된다.

정낭액에는 정자의 대사나 운동을 위한 에너지원인 프르크토스(과당)나 정자의 운동능력을 높이는 쿠엔산, 아미노산 등의 영양이 풍부하게 함유되어 있다. 또, 전립샘은 알칼리성에 유백색인 액을 분비한다. 이 분비액은 사정 시에 요도로 방출되고 남성의 요도 내와 여성의 질 내의 산성을 중화시킨다. 산은 정자에게 유해한 영향을 주어 농도가 높으면 정자를 죽일 수도 있다. 망울요도샘의 분비액도 남성의 요도를 소독하고 또 윤활 작용에 의해 사정을 원활하게 하도록 한다. 정자의 크기는 약 0.06mm이고 운동량이 높은 정자는 초

속 0.1mm의 속도로 나아간다.

자궁관은 길이 약 10cm로 자궁강이 약 7cm 이다. 이것을 계산하면 사정에서 30분 정도로 난자가 기다리고 있는 자궁관팽대부까지 도착한다는 계산이 나온다. 실제로 건강한 정자는 사정 후 겨우 1시간도 되지 않아 자궁관까지 거슬러 올라간다고 한다.

불임의 원인 「이즈모」?

불임의 원인으로는 배란장해, 자궁의 형태나 자궁내막의 이상, 정자의 수나 운동능력 등 여러 가지가 있다.
수년 전의 일이지만 일본의 연구가로부터 정자와 난자가 융합하는 데 필수인 단백질이 발견되었다. 그것은 결혼의 신으로서 유명한 이즈모다이샤와 연관되어 「이즈모」라고 명명되었다. 이것은 불임의 원인 중 하나에 지나지 않지만 이처럼 원인이 확실한 불임으로 고민하는 사람들에게는 치료의 가능성이 나올 테니 굉장히 유용한 발견이라고 생각된다.

memo

Q9 제대혈이란 무엇인가?

A 제대는 「탯줄」을 말하는데 어머니와 연결하는 혈관이다.
제대혈은 태어난 아기의 혈액으로
거기에는 조혈줄기세포가 많이 함유되어 있다.

태아는 모체와 「탯줄」로 연결되어 있다는 말을 들은 적이 있을 것이다. 이 탯줄을 제대라고 한다. 제대는 태반을 거쳐 모체와 연결되어 있는데 영양분이나 산소, 이산화탄소나 노폐물을 주고 받는다. 제대는 하나의 배꼽정맥과 두 개의 배꼽동맥이 묶여 있는 것으로 그 안에는 혈액이 통하고 있다.

수정란은 어머니의 자궁에 뿌리를 뻗어 자궁 안에 착상한다. 처음에 수정란에게 영양을 주었던 막과 어머니의 자궁내막의 일부가 합체해서 태반이 만들어 진다. 태반은 태아가 미발달했기 때문에 호흡기, 소화기, 비뇨기, 내분비기 등의 역할을 하는 장기의 일종이라고 할 수 있다. 그리고 태반과 태아가 내용물을 주고받기 위해 필요한 파이프가 탯줄이다(**그림 1**).

제대와 태반 속에 함유된 혈액을 제대혈이라고 하는데 이것은 모체의 혈액이 아니고 태어난 아기의 혈액이다. 이 혈액에는 골수처럼 혈액세포를 만드는 모체인 조혈줄기세포가 많이 함유되어 있다.

이 제대혈을 보존해서 병의 치료에 유용한 것을 만들 수 있다. 백혈병 등 골수이식을 필요로 하는 난치병 치료에는 조혈줄기세포의 이식이 이용된다. 이것은 나쁜 조혈시스템을 파괴하고 조혈줄기세포를 이식해서 새로운 조혈시스템을 만드는 치료방법이다. 만에 하나 자신이나 가족이 백혈병 등의 병에 걸린 경우 이 제대혈 이식을 이용할 수 있다.

제대혈 이식은 먼저 백혈구의 형태가 적합한가를 조사한다. 보존한 제대혈은 본인일 경우는 100% 이용할 수 있고 거부 반응도 없다. 더하여 가족 간에 적합할 가능성은 높아서 혈연자인 형제 사이에는 4분의 1

의 확률로 일치한다. 다만 타인과의 적합률은 수백~수만 분의 1로 상당히 낮다.

제대혈은 원래 미숙한 세포이기 때문에 면역 세포도 적어서 이식 후에 부작용을 일으킬 가능성이 낮은 것이 특징이다. 탯줄은 실로 모체와의 생명줄이라고 할 수 있을 것이다.

그림 1 **태아의 혈액순환**

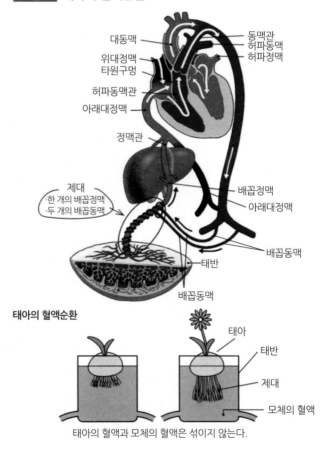

태아의 혈액순환

태아의 혈액과 모체의 혈액은 섞이지 않는다.

용어 대동맥(aorta), 대정맥(상대정맥, superior vena cava), 타원구멍(난원공, Foramen ovale), 정맥관(ductus venosus), 배꼽정맥(제정맥, umbilical vein), 배꼽동맥(제동맥, umbilical artery), 아래대정맥(하대정맥, inferior vena cava)

Q10 어떻게 하면 가슴이 커질 수 있을까?

A 가슴의 크기는 젖샘조직의 발달에 동반되는 피부밑지방의 양에 따라서 결정된다. 젖샘조직을 발달시키는 여성호르몬의 분비량이 열쇠라고 할 수 있다.

여성의 유방은 모유를 내기 위한 젖샘조직과 그것을 보호하는 피부밑지방으로 만들어졌다. 그 비율은 거의 90%가 피부밑지방인데 10대 후반까지 젖샘조직이 발달됨에 따라 피부밑지방도 증가한다.

젖샘조직으로는 젖꼭지나 젖샘관, 젖샘엽이 있다. 젖샘엽은 모유를 만들기 위한 조직으로 한쪽 유방에 약 15~25개 있는데 젖꼭지 주변에서 젖샘을 지나 방사상으로 배치되어 있다. 가슴이 커지기 위해서는 젖샘엽의 발달이 열쇠가 될 것 같다(**그림 1**).

젖샘조직의 발달을 촉진하는 것은 여성호르몬의 황체호르몬과 난포호르몬이다. 젖샘조직은 미래에 모유를 내기 위한 조직이어서 그 준비를 위해 여성호르몬에 의해 발달한다. 월경주기에 따라 이 호르몬의 증감이 있는데 개인차가 있지만 월경 전에 유방이 당겨지는 통증을 동반할 수가 있다(월경전증후근).

또, 포유류에게는 번식기가 있어서 암컷은 그 시기에는 수컷을 끌어들이기 위해 엉덩이가 크고 붉어지는 등 몸에 변화가 나타난다. 그러나 사람에게는 번식기가 없고 두발 보행이기 때문에 엉덩이도 발달하지 않았다. 그래서 남성에게 어필하기 위해 눈에 띄는 가슴이 발달한 것이라는 설도 있다.

일반적으로는 여성의 유방이 커지는 것은 아기를 키울 때 젖이 나오는 유방을 쉽게 발견하기 위해서라고 생각하는 게 좋을 것이다. 젖꼭지를 만지면 단단해지는 것도 쉽게 수유하기 위해서이고 임신에 의해 젖꼭지가 검어지는 것도 아기가 쉽게 발견하게 하기 위해서라고 생각할 수 있다.

임신 · 출산하면 유즙이 젖샘조직에서 만들어진다. 이때를 위해 젖샘조직은 발달해 온 것이기 때문에 유즙을 생산하기 위해 종일 활동하게 되고 가슴은 크고 팽팽해진다. 다만 유감스럽지만 젖을 떼고 난 후에는 원래의 크기로 돌아가 버린다.

여성호르몬의 분비를 높이는 것이 가슴을 크게 하는 것과 연결되지만 여성호르몬을 활성화시키는 작용을 가진 자연식품이나 여성호르몬과 상당히 비슷한 것 등은 내분비교란물질이 될 수 있기 때문에 주의가 필요하다.

그림 1 젖샘조직

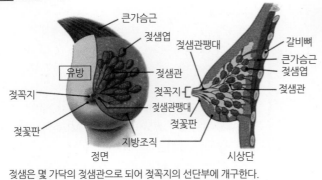

젖샘은 몇 가닥의 젖샘관으로 되어 젖꼭지의 선단부에 개구한다.

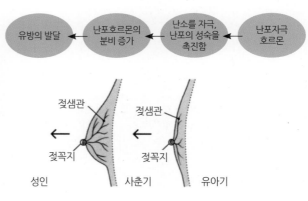

 큰가슴근(대흉근, pectoralis major muscle), 젖샘엽(유선엽, lobes of mammary gland), 젖샘관팽대(유관동, lactiferous sinus), 젖샘관(유관, lactiferous duct), 젖꼭지(유두, nipple), 젖꽃판(유륜, areola)

Q11 젖이 작아도 모유가 나오지만 모유는 어디에서 만들어지는지?

A 유방이 작아도 젖샘이 발달되어 있으면 모유는 나온다. 모유는 그 젖샘에서 어머니의 혈액으로 만들어 진다.

유방 안에는 젖샘이라는 조직이 있다. 젖샘은 한 개의 유방에 15~25개 있는데 젖꼭지를 중심으로 방사상으로 퍼져 있고 그 말단에 있는 젖샘엽이라는 조직에서 모유가 만들어 진다(Q10 **그림 1**).

임신 중에는 뇌하수체에서 유즙분비호르몬이 분비되지만 그것과 동시에 태반에서 유즙의 분비를 억제하는 호르몬이 분비되기 때문에 임신중에는 유즙이 나오는 일은 없다. 출산에 의해서 태반이 체외로 배출되면 유즙분비 억제호르몬이 사라지기 때문에 유즙의 생산이 시작된다. 그리고 뇌하수체에서 프로락틴이라는 호르몬이 분비되어 젖샘을 자극한다. 또, 아기가 젖꼭지를 빠는 자극에 의해서 뇌하수체에서 분비되는 옥시토신이 유방주변의 근육을 수축시켜 유즙의 분비를 촉진시킨다(**그림 1**).

모유는 혈액으로 만든다. 따라서 혈액 속의 아미노산이나 포도당 등의 영양소를 많이 함유하고 있다. 또,

유즙은 지방입자를 많이 함유하고 있어서 하얀 색을 띠고 있다.

100mL의 유즙을 만들기 위해서는 약 50mL의 혈액이 필요하다. 유즙의 양은 산 후 2주 동안은 1일에 500~700mL이고 그 이후는 조금씩 늘어서 제일 많을 때는 1,000~1,500mL가 된다. 유즙의 성분으로는 단백질, 지방, 유당, 면역글로브린A(IgA), 락토페린, 라이소자임 등이 함유되어 있다.

유방이 작아도 젖샘이 발달되어 있으면 모유는 나온다. 원래 유방은 젖샘조직을 보호하기 위한 지방이다. 젖샘 1에 대해 지방은 9 정도라고 알려져 있지만 사람 각각 개인차도 있는 것이어서 일괄적으로 말하긴 힘들다.

그림 1 모유 사출반사

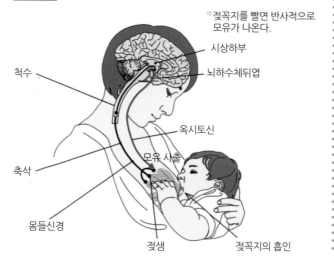

※젖꼭지를 빨면 반사적으로 모유가 나온다.

시상하부
척수
뇌하수체뒤엽
옥시토신
축삭
모유 사출
몸들신경
젖샘
젖꼭지의 흡인

Column

모유 성분 이야기

아기는 소화흡수력이 미숙하다. 모유 중에는 영양을 분해하고 소화흡수를 돕는 효소가 들어있기 때문에 아기의 몸에 부담이 되지 않으며, 모체로부터 모유를 통해 항체가 아기에게 전달된다(자연수동면역). 또, 모유에는 세균이나 바이러스로부터의 감염을 막는 면역글로블린이나 장내환경을 갖춰주는 비피더스균이나 올리고당, 살균작용을 가진 락토페린 등 몸을 보호하는 물질이 많이 들어 있다. 유당은 에너지원이 되는 것뿐만 아니라 뇌나 중추신경의 발달, 모유 속의 칼슘 흡수를 좋게 하는 작용을 함으로써 아기의 뼈나 이의 발육을 돕는다.

용어 몸들신경(체성구심성신경, somatic afferent nerve), 사출(milk ejection, milk discharge), 축삭(axon)

Q12 최근에 자궁암의 백신이 있다고 들었는데 「암」인데도 감염증에 해당되는 것인가?

A 자궁경암의 원인은 거의 100%가 인유두종바이러스(human papilloma virus; HPV)라고 하는 바이러스의 감염이다.
백신에 의해서 발암성 HPV의 감염으로부터 보호할 수 있게 되었다.

「자궁암」이라고 하면 아기가 자라는 자궁몸통에 생기는 암을 떠올리는 사람이 많을 것이다. 그러나 자궁암 중에서 가장 많은 것은 자궁의 입구부근인 자궁목에 생기는 자궁경부암이다(**그림 1**).

자궁경부암에 걸린 경우 자궁은 물론이고 자궁 주변의 장기도 적출하지 않으면 안 되는 경우도 있다. 이 자궁경부암은 그 원인이나 암이 되는 메카니즘이 거의 해명된 「예방할 수 있는 암」이다. 정기적으로 검진을 받아 암이 되기 전에 발견하면 자궁을 잃지 않고 치료하는 것도 가능하다.

자궁경부암은 2종류로 분류할 수 있다. 하나는 자궁목의 표면을 덮은 편평상피세포에서 생긴 「편평상피암」이다. 또 하나는 점액을 분비하는 샘세포에서 생긴 「선암」이다. 선암은 편평상피암과 비교해 검진으로 발견하기가 어렵고 치료하기도 어렵지만 대부분의 자궁경부암은 편평상피암이다.

자궁경부암에는 예방하는 백신이 있어서 한국에서도 일반 의료기관에서 접종할 수 있게 되었다. 이 백신은 해외에서는 이미 100개국 이상에서 사용되고 있다. 자궁경부암의 원인은 거의 100%가 인유두종바이러스(human papilloma virus; HPV)라고 하는 바이러스의 감염이다. 이 발암성 HPV는 대부분의 경우 성경험에 의해서 감염되기 때문에 여성의 약 80%가 일생에 한 번은 감염된다. 따라서 성경험이 있는 모든 여성이 자궁경부암이 될 가능성을 갖고 있다.

3회의 백신접종으로 발암성 HPV의 감염으로부터 보호받을 수 있다. 다만 이 백신은 이미 지금 감염되어 있는 HPV를 제거하거나 자궁목의 전암병변이나 암세포를 치료하는 것은 아니고 어디까지나 접종후의 HPV감염을 예방하는 것이다. 예방 백신은 반년 동안에 3회, 근육주사로 접종한다. 또, 백신의 효과는 일생 지속된다. 예방을 위해서는 백신의 접종만이 아니고 년 1회는 자궁암 검진을 받는 것이 중요하다.

그림1 자궁경부암과 자궁체부암

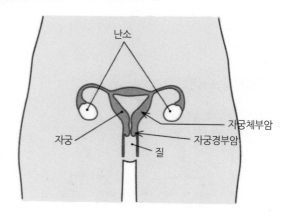

memo

Q13 어떻게 아기의 성별은 결정 되는가?

A X정자와 Y정자의 특성과 여성의 몸의 상태에 따라
수정되는 순간에 성별이 결정된다.

남녀의 성별이 결정되는 것은 정자와 난자가 수정되는 순간이다. 성별을 결정하는 것은 여성 측의 난자는 아니고 남성 측의 정자이다. 말하자면 정자에 여성과 남성이 있는 것이다.

세포의 핵 중에는 염색체라고 불리는 유전자 DNA라는 것이 포함되어 있다. 남녀 모두 23조 46개가 있다. 그 중에 22조는 남녀 모두 똑같은데 23조만이 「성염색체」라고 불리고 남성(XY)과 여성(XX)의 성별을 정하는 유전자를 갖고 있다(**그림 1**).

난자에는 X염색체만 존재하고 정자에는 X염색체를 가진 「X정자」와 Y염색체를 가진 「Y정자」가 존재한다. 난자와 X정자가 수정하면 XX염색체가 되어 여자아이가 태어나고, 난자와 Y정자가 수정하면 XY염색체가 되어 남자 아이가 태어난다.

X정자와 Y정자는 각각 몇 가지의 대조적인 차이가 있다. X정자는 산성에 강하고 알칼리성에 약한데, Y정자는 알칼리성에 강하고 산성에 약하다. 여성의 질 내는 외부의 균으로부터 보호하기 위해 산성이 되어 있고 자궁 내는 알칼리성이 되어 있다. 산성에 약한 Y정자에 있어서 산성인 질 안은 아주 활동하기 어려운 환경이다. 그래서 위험부담이 많은 Y정자의 수가 X정자의 수보다 많다고 한다. 그러나 질 내는 상황에 따라 산성에서 알칼리성으로 된다. 대하(질에서 나오는 점액)는 알칼리성이고 배란일이 가까워짐에 따라 물기가 많아지고 양도 늘어난다. Y정자는 알칼리성에 강하기 때문에 질 안이 알칼리성으로 변화되는 배란 전후에는 활동이 아주 활발해진다는 특징이 있다.

또, 난자의 수명은 약 6~24시간이다. Y정자는 24시간 정도, X정자는 2일~5일의 수명이 있다. 이 때문에 Y정자는 자궁관 속에서 배란되는 난자를 기다리는 사이에 서서히 수가 줄어든다. 한편 X정자 쪽은 배란을 계속해서 기다리기 때문에 난자와 만날 확률이 높아진다. 이와 같이 X정자와 Y정자의 특성과 여성의 몸의 상태에 따라 성별이 결정되는 것이다.

그림 1 성염색체의 유전

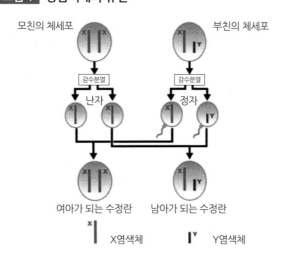

모친의 체세포　부친의 체세포

감수분열　감수분열

난자　정자

여아가 되는 수정란　남아가 되는 수정란

X염색체　　Y염색체

Column

X정자와 Y정자의 특징

X정자의 특징 : 산에 강하다, 수명이 길다(2~5일), 비중이 무겁다, 움직임이 늦다, 수가 적다.
Y정자의 특징 : 알칼리에 강하다, 수명이 짧다(1일), 비중이 가볍다, 움직임이 빠르다, 수가 많다.

PART 6

면역

Q1 아주 작은 찰과상이라면 침을 바르면 낫는다는 것은 정말인가?

A 상처가 직접 치료되는 것은 아니지만 침에는 항균작용이 있는 물질이 함유되어 있어서 소독이라는 의미에서는 유효하다. 상처 부위의 감염방지에는 도움이 된다.

침은 고유침샘과 바깥침샘에서 분비된다. 고유침샘에는 귀밑샘, 턱밑샘, 혀밑샘이 있어서 음식을 먹으면 대량으로 분비된다. 바깥침샘은 입술 내면, 뺨 내측, 입 내면 전체에 무수하게 존재한다.

침의 기능으로는 항균작용, 점막보호작용, pH 완충작용, 치아의 재석회화, 소화작용 등이 있다(**표 1**).

침의 성분은 99%는 물이고, 각종 이온이나 당, 단백질, 뮤신, 락토페린이나 아밀라아제, 페르옥시다아제, 라이소자임이나 IgA(면역글로브린 A) 등이 함유되어 있다.

구강내에는 수백 종류의 세균이 존재하는데 플라그(치구) 1mg당 1억 개 이상의 세균이 있다. 그 중에는 병원세균도 포함되어 있지만 쉽게 체내에 침입할 수 없다. 침은 항균작용을 하는 물질인 락토페린, 라이소자임, 페르옥시다아제, IgA 등에 의해 세균의 증가를 억제하고 있다.

락토페린은 구강내의 제2철이온과 결합하는 작용이 있다. 제2철이온은 세균이 성장하기 위해 필요한 성분이기 때문에 이 이온을 보충할 수 없는 상황에서는 세균은 번식할 수 없다. 라이소자임은 세균의 세포막에 작용하여 분해하는 역할이 있다. 세포막이 분해되면 세포는 사멸한다. 페르옥시다아제는 강한 해독작용으로 활성산소*를 제거하는 효소로 발암물질을 감약시키는 작용이 있다. 또, IgA는 점막에 대한 면역의 역할을 하는데 소화관이나 호흡기의 점막에서 작용한다. IgA는 초유속에도 함유되어 있어서 신생아의 소화관을 세균이나 바이러스 감염으로부터 보호하는 역할을 하고 있다(자연수동면역). 자연수동면역으로는 IgG(면역글로브린 G)도 관여하는 것이 알려져 있지만 IgG는 모유에는 들어있지 않고 태반을 거쳐 태아로 전달된다.

그 밖에 침에는 EGF(표피성장인자)가 들어있다. 이것은 혈관 등의 세포증식을 촉진하는 작용이 있기 때문에 상처 부위에 유효할 수도 있다. 이와 같이 침에는 항균작용이 있는 성분이 들어 있지만 상처를 직접 회복시키는 것은 아니다. 그 부분의 감염을 방지한다는 의미에서 침은 상처에 효과가 있다.

표 1 침의 작용

희석·세정 작용	입안의 세균이나 음식찌꺼기 등을 희석시키고 씻어낸다
항균 작용	여러 가지 항균물질(라이소자임, 페르옥시다아제, 락토페린 등)에 의해 세균의 번식을 억제한다
치아의 보호 작용	침 중의 단백질이 피막을 형성하여 이를 보호한다
완충 작용	산성에 치우쳐 충치가 되기 쉬운 입안을 충치가 되지 않도록 중성으로 돌린다
치아의 재석회화 작용	이의 표면에서 없어진 칼슘이나 인을 보충하고 재석회화에 의해 이를 복구한다
면역 작용	침 속의 항체(IgA)가 입안의 세균과 싸운다
소화 작용	침 아밀라아제에 의해 전분을 분해한다
용해 작용	맛물질을 용해하여 혀로 미각을 느끼게 한다

*활성산소란 「과격한 산소」라는 의미로 유전자 DNA를 포함하는 세포내의 여러 가지 중요한 성분에 손상을 준다. 갑자기 변이를 일으키거나 동맥경화, 심장병, 당뇨병, 백내장 등의 생활 습관병, 나아가 암을 일으키거나 노화의 원인이 된다.

memo

Q2 수박을 씨 째 먹으면 씨가 막창자에 쌓인다는데 정말인가?

A 수박씨에는 점착성이 없어서 변과 함께 배출되기 때문에 폐쇄를 일으켜 막창자꼬리염이 되는 일은 없을 것이다.

우선 막창자란 어디에 있는 것인가?

막창자는 큰창자의 일부로 그 시작부분을 말하는데 오른쪽 아랫배에 위치해 있다. 작은창자의 돌창자가 여기로 이어져 있어서 개구부를 돌막창자입구라고 부른다(**그림 1**).

돌막창자입구에는 돌막창자판막이라는 주름모양의 판이 있다. 또, 막창자의 후벽에서는 막창자꼬리가 돌출되어 있다. 평소에 쓰는 말로 「막창자염」이란 이 막창자꼬리의 염증에 의한 통증을 가리킨다. 아마 막창자꼬리염이 막창자까지 퍼진 막창자염에서 막창자꼬리염을 「막창자염」이라고 부르게 된 것 같다.

막창자꼬리염이란 장 안에 있는 세균에 의해서 막창자꼬리 내측의 점막에 일어난 염증이 그 주위로 퍼져 나간 화농성염증을 말한다. 그 원인 중의 하나는 변이 굳어 돌처럼 된 분석 등 이물질에 의한 내강의 협착이라고 생각된다. 그러나 수박씨의 경우는 점착성도

없고 얼마 있으면 변과 함께 배출되어 버리기 때문에 폐쇄를 일으켜 막창자꼬리염이 되는 일은 우선 없을 것이다.

옛날 유럽에서 막창자꼬리염 수술을 할 때 염증을 일으킨 막창자꼬리 안에 있었던 분석이 포도씨로 보였다는 이야기가 있다. 그것이 일본에 들어와서 일본의 습관에 맞춰 수박씨로 바꿔 전해진 것 같다. 한편 차가운 수박을 한 번에 먹고 탈이 나지 않도록 「단지 부모가 아이에게 먹는 법을 일러주기 위해 만든 이야기」라는 설도 있다.

막창자꼬리의 위치는 배꼽과 위앞엉덩뼈가시를 연결하여 3등분한 1/3 부위인 맥버니포인트(McBurney point)에 위치하고 있다(**그림 2**). 막창자꼬리는 막창자의 끝에 있는 직경 1cm 이하, 길이 6~8 cm인 가는 관모양의 기관인데 다수의 림프소절을 포함하는 림프계 기관이다.

*위앞엉덩뼈가시 부분은 똑바로 누웠을 때 허리 근처 골반뼈가 돌출된 부분이다.

그림 1 막창자와 막창자꼬리의 위치

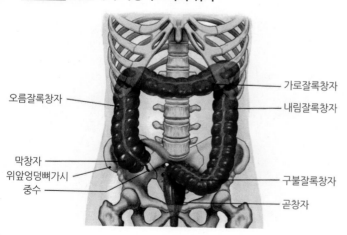

오름잘록창자
가로잘록창자
내림잘록창자
막창자
위앞엉덩뼈가시
충수
구불잘록창자
곧창자

그림 2 체표에서의 막창자와 막창자꼬리의 위치

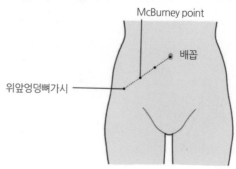

McBurney point
배꼽
위앞엉덩뼈가시

용어 막창자(맹장, cecum), 막창자꼬리(충수, appendix), 막창자꼬리염(충수염, appendicitis), 오름잘록창자(상행결장, ascending colon), 가로잘록창자(횡행결장, transverse colon), 내림잘록창자(하행결장, descending colon), 위앞엉덩뼈가시(상전장골극, anterior superior iliac spine), 구불잘록창자(S상결장, Sigmoid colon)

Q3 인플루엔자의 검사로 사용되는 큰 면봉은
어디를 겨냥하는 것인가?

A 목 안, 인두후벽의 올록볼록한 편도의 점막에 붙어 있는 바이러스를
겨냥하고 있다.

목은 공기와 음식물의 통로가 섞여있는 곳으로 그 인두에는 외부에서 들어오는 이물질이나 세균, 바이러스 등을 방지하여 몸 안에 들어오지 못하게 하는 림프조직이 많이 분포해 있다.

이 림프조직은 편도라는 면역조직이다. 편도는 인두의 점막 내에 발달한 림프조직의 집합체이며, 목구멍편도, 인두편도, 귀인두관편도, 혀편도, 인두측삭 및 인두후벽의 림프소절이 바퀴처럼 인두를 둘러싸고 있어 이것을 월다이엘의 인두륜이라고 부른다(**그림 1**).

편도는 가장자리에 편도움(tonsillar crypt)을 가지고 있으며 이로 인해 표면적이 넓어져 물질을 포착하기 쉽다. 편도의 위치나 구조로 보면, 코와 입으로 체내에 침입해 오는 이물질이나 병원체를 쉽게 잡을 수 있게 만들어졌다. 이것은 감염을 받아들이기 쉬운 상태를 의미하기도 한다.

검사를 할 때 검체 속에 바이러스가 어느 정도 들어 있지 않으면 검사로는 검출되지 않는다. 또, 채취부위에 따라 검사의 민감도(Sensitivity)가 다르다.

검체의 채취방법에는 비강흡인액, 비강세척액, 인두세척액으로 세 가지가 있다. 비강흡인액(흡인용 튜브를 코 안에 삽입하여 콧물을 채취한다)의 검출율이 가장 높지만 시간이 걸리기 때문에 그다지 사용하지 않는다. 보통은 비강세척액(코 안에 면봉을 삽입하여 비갑개를 몇 번 문지르듯이 해서 점막표피를 채취한다)이나 인두세척액(목 안에 면봉을 삽입하고 몇 번 문지르듯이 하여 점막표피를 채취한다)이다. 그러나 이 방법은 검출율이 낮고 3분의 1은 바이러스 감염이 있어도 양성으로 나오지 않는다고 한다. 또, 검체의 채취 시기도 검사정밀도에 큰 영향을 주는데 너무 빨라도 검출되지 않고 제1병일이 가장 민감도가 높아서 날짜가 지나감에 따라 민감도는 떨어진다.

비강세척액의 채취방법은 비강 최하연을 따라 인두후벽까지 면봉을 삽입하여 가능한 한 속 깊이까지 채취한다. 대부분 감염된 바이러스는 편도움에서 검출되지만, 가볍게 점막을 문지르는 정도로는 바이러스 양이 적어서 검사가 음성이 되기 쉽다. 따라서 면봉을 정확하게 문질러야 한다.

그림 1 체내로 향하는 입구에 있는 편도

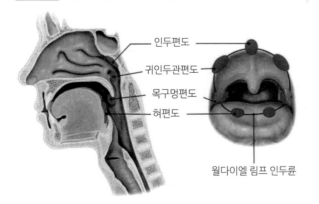

인두편도
귀인두관편도
목구멍편도
혀편도
월다이엘 림프 인두륜

용어 편도움(tonsillar crypt), 편도(tonsils), 인두편도(pharyngeal tonsil), 귀인두관편도(이관편도, tubal tonsil), 목구멍편도(구개편도, palatine tonsil), 혀편도(설편도, lingual tonsil)

Q4 알레르기 증상으로 왜 콧물이 나오는 걸까? 또, 왜 눈꺼풀이 무거운 느낌이 드는 걸까?

A 생체내에 알러젠을 받아들이지 않도록 작용하는 과도한 생체방어반응인데 코로 침입했을 때는 콧물, 눈으로 침입했을 때는 눈물로 대응한다.

알레르기는 알러젠(항원)을 면역반응에 의해서 제거하려고 하는 과정 중에 그것이 생체에 불리하게 작용하는 과도한 생체방어반응이다(**그림 1**).

알레르기의 원인이 되는 항원은 체외·체내에 다수 있고 그래서 알레르기의 종류도 다수 있다.

알레르기성 비염은 먼지, 진드기, 꽃가루 등의 항원이 코로 흡입되면서 일어나는 항원항체 반응이다. 증상은 재채기·콧물·코막힘 등 비점막계의 알레르기 증상이다. 처음에는 그들 항원을 흡입해도 증상이 없을 때가 많지만 흡입할 때마다 점점 체내에서 생산되는 항체가 많아지고 그 항체가 일정 수준을 넘어서면 증상이 나타난다.

증상 발생 후 항원을 코로 흡입하면 생체방어반응에 의해서 연속되는 재채기나 맑은 콧물, 코막힘 등을 일으킨다. 꽃가루 알레르기의 경우 기관지까지 들어가는 일은 거의 없기 때문에 비염을 일으켜도 기관지 천식을 일으킬 확률이 적다.

또, 눈 점막에 있어서도 마찬가지로 항원이 눈으로 침입한 것을 방어하기 위해 눈물이 나온다. 끊임없이 눈물이 분비됨에 따라 눈꺼풀이 무겁게 느껴질 수도 있다. 결막이나 눈꺼풀의 가려움증을 동반하고 비비거나 하면 눈이 빨갛게 되고 통증이나 이물감, 눈곱이 생기거나 한다. 그렇게 되면 알레르기성 결막염을 일으키고 있을 지도 모른다. 알레르기성 결막염은 눈꺼풀 안쪽 결막에 염증이 일어나고 있기 때문에 눈꺼풀이 무겁게 느껴진다.

그림 1 알레르기 증상 메카니즘

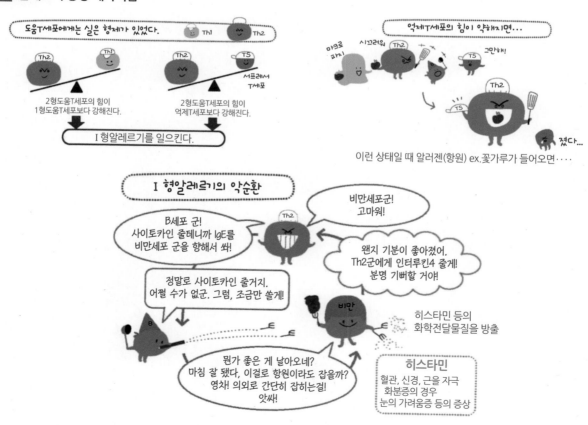

Q5 화분증이란 치료되지 않는 것인가?

A 화분증은 알레르기 반응이다. 근본적인 해결책은 없지만 대처법은 여러 가지 있다. 대처요법을 잘 사용하여 꽃가루가 날리기 시작할 때부터 치료를 개시하는 「초기요법」이 유효하다.

화분증(pollenosis)의 치료법에는 대처요법과 근치요법 두 가지가 있다(**그림 1**).

특히, 증상이 심한 사람은 근치요법으로써 「탈감작요법(hyposensitization)」이 사용된다. 탈감작요법이란 항원특이적인 면역요법이라고도 하는데 꽃가루에서 뽑은 추출액의 농도를 조금씩 올리면서 주사하여 몸을 서서히 꽃가루에 익숙하게 만들어 알레르기 반응을 저하시키는 체질개선의 치료법이다. 그러나 그 효과가 나타날 때까지 몇 년이 걸리고 현재도 기간의 단축이나 성분의 설하 투여 등 아직 연구할 것이 많다.

항히스타민제는 히스타민*의 작용을 억제하고 재채기, 콧물이 나도록 뇌에서 하는 명령을 멈추는 약이다. 화분증에서 자주 나타나는 재채기, 콧물, 코막힘, 눈의 가려움증 등 이미 나타난 알레르기 증상을 완화시키기 위해 사용되는 약이다.

코 점적약으로 대표되는 국소스테로이드약의 작용은 다양하다. 국소스테로이드 투여는 흡입 항원으로 발생하는 통년성 알레르기성 비염에는 장기간 사용하며, 화분증 등 계절성 알레르기성 비염에는 단기간 사용으로 비염 등 증상을 개선할 수 있다.

화분증 시 레이저수술은 코에 직접 레이저 광선을 조사하여 코의 점막을 가볍게 지진다. 그러면 꽃가루가 코 안에 들어와도 코 점막의 과잉반응을 억제할 수 있다. 그 결과 콧물, 코막힘 등의 비염 증상을 억제하는 효과가 있다. 레이저 치료는 코의 점막이라는 국소에 하는 치료로 이것도 화분증 그 자체를 완치시키는 것은 아니다. 반 년~2년이 지나면 원래의 점막처럼 재생·회복되어 효과가 떨어지기 때문에 영구적인 치료도 아니다. 또 개인차가 있어서 확실한 치료법은 아니다. 그러나 대부분의 화분증이 있는 사람은 꽃가루가 날아다니기 시작할 때부터 치료를 받으면 증상의 경감

을 기대할 수 있다.

민간요법도 여러 가지 있는데 열거하려면 끝이 없다. 화분증 계절이 되면 매년 텔레비전 등의 미디어에서 「화분증에 효과가 있다!」하고 갖가지 민간요법이 소개된다. 사람의 몸은 한사람 한 사람 다르기 때문에 그 사람 개인에 맞는 치료법이 「효과 있는 치료법」이지 확실히 누구에게나 효과가 있는 치료법은 아니다.

*히스타민이란 알레르겐(항원)에 반응하여 혈액 속의 호염구와 염증조직의 비만세포에서 방출되는 아미노산인 히스타민에서 합성되어 콧물, 재채기, 눈의 가려움증 등 알레르기 증상을 일으키는 원인물질이다.

그림 1 화분증의 치료법

1) 대처 요법
· 점안약, 점비약 등에 의한 국소요법
· 내복약 등에 의한 전신요법
· 레이저 등에 의한 수술요법

2) 근치요법
· 알러젠(꽃가루 등)의 제거와 회피
· 탈감작요법(항원 특이적 면역요법)

코막힘
· 항로이코트리엔약
· 국소스테로이드약

재채기, 콧물
· 항히스타민약
· 화학전달물질 유리억제약

보다 코막힘이 강하다
· 점비용혈관수축약
· 경구스테로이드약

Q6 왜 커피를 마시면 배가 아픈 걸까?

A 커피에 포함된 카페인, 탄닌이 원인일까?
유화제나 농약에 의한 알레르기일까?
어쩌면 커피알레르기일 가능성도 있다.

커피에는 카페인이 들어있다. 카페인에는 큰창자의 꿈틀운동을 촉진하는 작용이 있어서 큰창자의 운동을 활발하게 해준다. 그러나 과잉으로 작용하면 속이 묽어져서 설사를 일으킬 수도 있다. 녹차나 홍차에도 카페인이 들어 있다. 녹차나 홍차를 마셔도 아무렇지도 않다면 카페인이 원인인 것은 아닐 것이다.

녹차나 홍차에는 들어있지 않고 커피에만 있는 것으로 탄닌이 있다. 탄닌은 장의 소화관 점막에 대한 자극작용이 있고 정장작용이 있을 뿐 민감한 사람은 설사를 일으킨다.

음식물로 일으키는 알레르기 증상에는 여러 가지 종류가 있다. 새우, 게 등의 갑각류로 입이나 위, 목에서 식도 부분까지 가렵다거나 참마 때문에 입이나 손에 발진이 생긴다거나 한다(**그림 1**).

이상한 것으로는 키위 알레르기가 있다. 키위에 함유된 액티니딘이 알러젠(allergen, 알레르기 유발 항원)이 된다. 직접 닿은 입술이나 혀, 목 안이 가렵거나 붓고, 목이나 코에 화분증 증상이 나타나거나 기관지 천식의 발작을 일으키고, 최악의 경우는 아나필락시스쇼

크를 일으킬 수도 있다(**그림 2**). 라텍스 알레르기와 교차항원성(키위에 함유된물질과 비슷하다)이 있어서 이런 사람은 라텍스글러브(고무장갑)를 장착할 때에 주의가 필요하다.

이와 같이 음식물 그 자체가 원인이 되어 알레르기를 일으키는 것과는 달리 그 음식물을 만드는 과정에서 사용되는 농약(살충제 등)으로 림프절이 붓고 발진이 나타나는 알레르기도 있다.

커피 알레르기는 커피에 함유된 계면활성제(유화제)에 의해 점막표면으로 알러젠의 흡수가 촉진되기 때문에 알레르기반응을 강화시키는 경우도 있다. 게다가 커피를 사용한 빵이나 과자에도 알러젠이 함유되어 있기 때문에 주의가 필요하다. 한 번 무농약·유기재배 커피를 실험해 보는 것도 좋을 것이다. 또, 커피 자체가 알러젠이 되는 사람도 있다. 알레르기는 항원이 되는 것이 있으면 무엇이라도 알레르기가 될 수 있기 때문에 사람 각각에게 무엇이 알러젠으로써 잠재되어 있는지 모를 일이다.

그림 1 음식물 알레르기의 종류

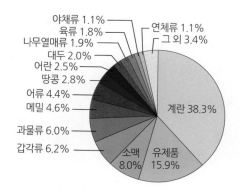

- 야채류 1.1%
- 육류 1.8%
- 나무열매류 1.9%
- 대두 2.0%
- 어란 2.5%
- 땅콩 2.8%
- 어류 4.4%
- 메밀 4.6%
- 과물류 6.0%
- 갑각류 6.2%
- 연체류 1.1%
- 그 외 3.4%
- 계란 38.3%
- 소맥 8.0%
- 유제품 15.9%

그림 2 음식물알레르기의 증상

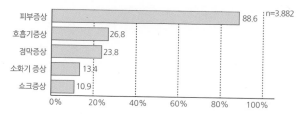

증상	%
피부증상	88.6
호흡기증상	26.8
점막증상	23.8
소화기 증상	13.4
쇼크증상	10.9

n=3,882

음식물알레르기의 증상으로 가장 많은 것은 피부 증상(두드러기, 가려움, 피부가 빨갛게 됨, 얼굴이 붓는 증상 등)이다. 또, 호흡기 증상(기침, 가래, 호흡곤란), 점막 증상(입안이 붓는 증상, 눈이 빨갛게 되고 붓는 증상), 소화기 증상(복통, 구토, 메슥거림, 설사)도 나타난다. 알러젠이 혈관 내에 들어오면 혈압이 급격하게 내려가고 의식이 없어지는 아나필락시스쇼크를 일으킬 수도 있다.

Q7 예방접종을 받으면 왜 병에 걸리지 않는 것인가?

A 예방접종은 무해한 백신을 사용해서
림프구에 병의 원인을 기억시키고 획득성 면역을 만든다.

면역이란 「역병(감염증)에서 벗어나다」라는 뜻에서 생긴 말로 인체가 갖고 있는 방어기구를 의미한다. 감염은 세균이나 바이러스에 의해서 일어나지만 그런 침입을 거부하는 기구는 자연면역(선천성면역)과 획득면역(후천성면역)으로 나뉜다. 선천성면역은 상대를 선택하지 않고 무차별적으로 이물질을 제거하는 반응으로 우리가 갖고 태어난 면역이다.

어머니로부터 받은 병에 대한 면역은 백일해나 수두는 생후 3개월, 홍역이나 볼거리는 생후 8개월까지로 이후에는 아기 스스로 면역력을 증가시켜야 하며,

면역을 형성하는 한 가지 방법이 질병을 앓는 것이다.

예를 들면 폴리오(소아마비)의 면역을 만들기 위해 폴리오에 걸린다면 평생 후유증이 남을 것이다. 그래서 후천성면역을 응용하여 만들어진 것이 백신이다. 백신은 병에 걸리지 않도록 감염증의 원인이 되는 세균이나 바이러스를 무독화한 것이나 세균이 생산하는 독소의 힘을 약화시킨 약액이다. 그 백신을 몸에 접종하면 우리 몸은 감염(불현성감염)과 같은 상태가 되어서 그 병에 대한 면역을 만들 수 있다. 이것을 예방접종이라고 한다.

예방접종은 후천성면역의 원리를 응용하여 감염원에 특이적인 반응을 일으키게 하고 「이물질」을 기억하게 한다. 면역계의 작용은 어떤 병원체를 처음 만났을 때보다 두 번째가 더 빠르고 커지는 특징이 있다(2차 면역응답).

홍역, 풍진, 볼거리, 소아마비, 수두 등의 질병은 생백신*접종에 의해서 영구면역을 얻을 수 있다. 영구면역을 얻으면 그 병에 걸린 기억이 몸 안에 남아 있어서 평생 그 병에 걸리지 않는다(**그림 1**).

백신의 종류

① **생백신** : 살아있는 병원체의 독성을 약하게 한 것이다. 사람에 대해 병원성이 약하고 게다가 면역을 만드는 성질만을 골라내어 이용한다. 원칙으로 1회의 접종으로 장기간 지속되는 면역을 준다. 홍역, 풍진, 볼거리, 소아마비, 수두, BCG 등.

② **불활성화백신** : 병원체를 죽이고 면역기구를 만드는 데 필요한 성분만을 빼내어 독성을 없앤 것이다. 병원체는 체내에서 증식하지 않기 때문에 2~3회 접종을 해서 몸에 기억시킴으로써 면역을 만들고 게다가 추가접종이 필요하다. 인플루엔자, 일본뇌염, B형간염, A형간염, 광견병, 백일해, 콜레라 등.

③ **톡소이드(toxoid, 변성독소)** : 병원체가 증식하는 과정에서 생산되는 독소(톡신)를 처리하고 면역계에 작용하는 성질은 잃지 않게 무독화한 것으로 독소 활성을 상실시킨다. 접종법은 불활성화백신과 같다. 디프테리아, 파상풍, 하브 등.

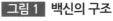
그림 1 **백신의 구조**

약독화한 병원미생물
(백신)을 B세포로
잡도록 한다.

기억시킨다.

그러면 병원미생물이 침입했을
때 면역기억세포들이 재빠르게
처리한다.

Q8 스트레스로 면역력이 약하게 될까?

A 스트레스는 자연살해세포(natural killer cell, NK cell)에 영향을 주어 면역력을 저하시킨다. 또, 암이 진행될 가능성이 있다.

우리의 몸은 각각의 기관이 독립해서 작용하는 것이 아니고 서로 영향을 끼치면서 생명활동을 유지하고 있다. 정신계와 신경계 그리고 내분비계와 면역계의 각자가 서로 얽혀서 억제 또는 항진하고 있다. 그 어딘가의 작용이 교란되면 서로 관련된 밸런스가 무너지고 그에 대응하듯이 다른 기능도 연쇄적으로 무너진다. 여러 가지 스트레스는 우선 대뇌에서 캐치하고 그 종류에 따라 신경전달물질이 분비된다. 그것을 받아 시상하부에서 호르몬이 분비되는데 내분비계와 자율신경계에 작용하여 영향을 준다. 따라서 면역담당세포가 감소하거나 억제계의 면역세포가 증가하여 면역력이 저하된다. 스트레스에 가장 민감하게 반응하는 면역세포는 자연살해세포(NK세포)이다(**그림 1**).

자연살해세포는 체내를 항상 혼자서 순찰하면서 바이러스 감염세포나 암세포 등을 발견하면 공격지령이 없어도 스스로 전투 태세에 들어가고 강력한 힘으로 적을 살해하는 성질을 갖고 있다. 특히 항종양효과에는 발군의 위력을 발휘한다. 스트레스에 의한 권태감·신체적 손상은 면역부전을 초래하고 자연살해세포의 활동이 억제된다. 스트레스에 지속적으로 노출되면

자연살해세포의 활동이 충분한 기능을 못하게 되고 암 등의 진행이 가속화되어 다른 면역기능에 영향을 미친다. 또, 일반적으로 스트레스가 많은 사람은 암에 대한 면역력이 떨어지는 경향이 있다.

그림 1 자연면역의 작용

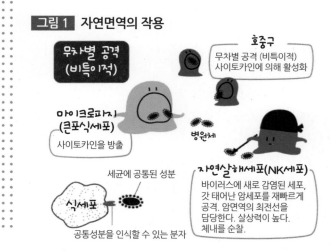

memo

Q9 체취가 사람에 따라 다른 것은 왜 그런가?

A 개인을 식별하는 유전자 HLA가 체취의 정체이다.
실은 유전자레벨로 좋아하는 이성의 냄새가 정해져 있다.

피부의 피부기름샘(sebaceous gland)에서는 피지가 분비되고 그로 인해 피부의 표면을 보호하고 윤기를 주고 있다. 피지는 공기에 접촉하면 산화하고 체취가 생긴다. 또 하나 체취의 원인이 되는 아포크린땀샘이 있다. 이것은 겨드랑이 밑, 젖꽃판, 외음부 등 한정된 부분에만 있는데 이 선에서 분비되는 땀에는 지방, 철분, 요소, 암모니아 등이 포함되고 땀 그 자체에 냄새가 있다. 또, 그 외의 땀샘에서 나는 땀과 피지가 서로 섞이고 잡균이 번식해서 냄새를 발생시킬 수도 있다.

생물에게는 면역계를 관장하는 주요 조직적합 복합체(Major Histocompatibility Complex; MHC)가 있다. 체취에는 이 MHC유전자가 연관되어 있어서 비슷한 MHC유전자군은 비슷한 체취를 만들어 낸다. 사람인 경우 이것은 인간의 주요 조직적합 항원(Human Leukocyte Antigen; HLA)이 되는데 간단히 말하면 백혈구의 혈액형이다.

MHC는 개인을 식별하는 유전자라고 해서 그 형태는 수천만 가지가 있는데 장기이식을 할 때 「형이 맞다, 맞지 않는다」라는 얘기는 바로 이것을 두고 하

는 말이다. 그래서 HLA가 다른 사람의 장기를 이식하면 몸을 지키는 면역기능이 작용하여 거부반응을 일으킨다. HLA는 「HLA —A·B·C항원」분자와 「HLA-DR·DQ·DP항원」분자를 부모로부터 6종류씩 이어받아 합계 12종류가 있지만 개개인의 유전자가 미묘하게 다르다(표 1, 그림 1).

이 냄새유전자에 관해서 최초에 하게 된 스위스의 연구에서 남녀 학생을 대상으로 남학생에게 2일 간 착용한 T셔츠의 냄새를 여학생에게 맡게 하고 선호도의 점수를 매기라고 했다. 그 결과 여학생은 자신과는 HLA 형이 다른 남학생의 냄새를 좋아하는 것으로 나타났다. 이 결과는 「냄새의 차이 = 자신에게 없는 면역을 많이 갖고 있는」 이성에게 끌린다는 「종족보존」에 관련된 중요한 의미를 갖고 있다.

「아빠, 냄새나~!」, 딸이 사춘기(동물로 말하면 번식기)가 되고 냄새에 민감해지는 시기에 하는 말이다. 딸은 반쯤은 아버지와 같은 유전자이기 때문에 「냄새 난다」고 느꼈던 것이다.

표 1 HLA유전자

HLA (MHC)유전자좌 클래스 I	A좌	B좌	C좌	D영역 (DR, DQ, DP)		
종류	27	67	10	23	9	7
	A1	B5	Cw1	DR1	DQ1	DPw1
	A2	B8	Cw2	DR2	DQ2	DPw2
	A3	B12	Cw3	DR3	DQ3	DPw3
	…	…	…	…	…	…
	…	…	…	…	…	…

이 순열조합 때문에 타인과의 적합률은 500명에 1명
(특히 일본인의 경우 섬나라로 혼혈이 적어서 적합률이 높다)

그림 1 MHC는 개인을 식별하는 유전자

클래스 I
MHC분자

얼굴이 다른 것은 몸의 세포 약 60조 개(간, 신경, 피부, 근 등)가 분화해서 다른 세포인 것을 나타낸다. 그러나 분화해도 리본(MHC)은 전부 똑같은 「나」라는 표시이다.

PART 7

노화

Q1 나이를 먹으면 키가 줄어든다는데 왜 그럴까? 어느 정도 줄어드는가?

A 노화와 함께 신장이 줄어드는 것은 자주 있는 일이지만 그 주요 원인은 뼈엉성증이다. 뼈가 약해지고 등골이 짓눌리기 때문에 신장이 줄어드는 것이다.

오랜만에 할아버지 할머니를 뵙고 「작아지셨네~」 하고 생각했던 적이 있을 것이다. 맞다. 정말로 작아지신 것이다.

사람은 나이를 먹어감에 따라 약 5cm 정도이지만 신장이 줄어든다. 대부분의 사람은 40세를 넘어가면서 키가 줄기 시작해서 10년에 약 1.3cm씩 줄어든다.

등골(척추)은 추골이라는 뼈가 몇 층으로 쌓아 올려진 구조로 되어 있다. 그 하나하나의 사이에는 척추사이원반이라는 연골이 끼어있다. 노화에 따라 그 척추사이원반의 수분이 사라지거나 적어지는 것으로 척추사이원반이 찌부러져서 좁아지고, 그 결과 척추가 단축되기 때문에 키가 줄어든다. 또, 근육이 약해져서 몸을 지탱하기가 어려워지고 등골이 굽어져 키가 줄어든 것처럼 보이기도 한다.

게다가 노화에 따른 뼈엉성증이 되어 신경을 쓰지 않는 사이에 척추가 압박골절을 입어 키가 줄어들 수도 있다(**그림 1**). 뼈엉성증은 자각증상이 부족한 병이다. 등이 굽거나 신장이 줄어드는 증상은 서서히 일어나기 때문에 좀체 병이라고는 알아차리지 못한다. 그래서 깨달았을 때 상태가 꽤 진행되어 있더라는 것은 드문 일이 아니다. 특히 자신이 알아채는 것은 꽤 힘들다. 또, 매일 보는 가족도 그 미묘한 변화를 깨닫는 일은 어렵다.

뼈엉성증에 의해 약해진 뼈는 몸의 체중이 느는 것만으로도 납작해질 수가 있다. 이것을 압박골절이라고 한다. 압박골절이 일어나면 등골이 굽거나 신장이 줄거나 통증을 동반하기도 한다. 다만 상태에 따라서는 통증을 동반하지 않는 경우도 있다.

그림 1 추체의 압박골절

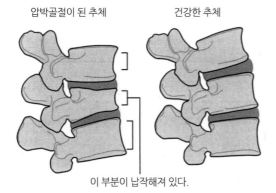

압박골절이 된 추체   건강한 추체

이 부분이 납작해져 있다.

바른 자세군!

등이 굽은 것 같아!

귀 · 어깨 · 넓적다리뼈가 일직선이다.   코가 가슴보다 앞으로 나왔다.

memo

Q2 중년이 되면 입에서 냄새가 나는 것은 왜 그런가?

A 침의 분비 저하에 따르는 구강내의 세균 번식에 의한 것이거나
간의 기능 저하에 따라
냄새물질을 분해해서 체외로 배출하지 못하고 구취를 발한다.

나이를 먹어감에 따라 침을 분비하는 힘이 낮아지고 입 안이 건조해져서 구취가 날 수 있다. 아주 불쾌한 상황이인데 구취의 주된 원인이라고 한다(**그림 1**).

침은 입 안의 청결함을 유지하는 작용을 하고 있다. 침의 분비량이 정확하게 지켜지는 경우 입안이 청결하게 유지되기 때문에 구취는 잘 생기지 않는다. 그러나 그 분비되는 양이 저하하면 입 안에 세균이 가득 번식하게 되고 먹은 찌꺼기 등을 발효시켜 악취가 발생한다.

또, 입안이 건조하면 충치나 치구, 설태 등의 원인이 되고 세균번식 때문에 구취를 발한다. 그 밖에도 생활습관에 의한 것으로 흡연, 스트레스, 수면부족, 음주 등이 입안을 건조하게 만드는 원인이다.

구취는 간(liver)이 원인이 되어 발생할 수도 있다.

이것은 40세 넘은 사람에게 일어나는 경우가 많은 모양이다(**그림 2**).

간이 제대로 작용을 하고 있으면 냄새나는 물질은 분해를 하기 때문에 구취가 일어나지 않는다. 음식물은 입으로 들어가면 위에서 분해되어 녹고 작은창자에서 영양분이 흡수된다. 그 후에 혈액의 흐름을 타고 간으로 보내진다. 이때 구취의 원인이 되는 물질도 간으로 보내진다. 일반적으로는 몸의 대사에 의해 체외로 배출되지만 간의 작용이 저하됨에 따라 분해되지 못하고 냄새를 발생시킨다. 이 경우 사람에 따라서는 입 안이 쓰다고 느낄 수도 있다. 또, 구취가 악화되면 곰팡이 같은 냄새나 달걀 썩은 냄새, 또한 마늘이 섞인 것 같은 냄새가 난다.

그림 1 1 L/일의 침을 분비

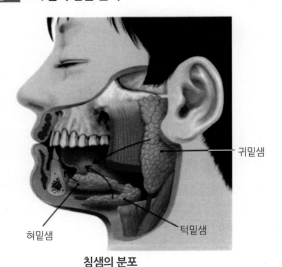

침샘의 분포

그림 2 간기능 저하에 의한 구취

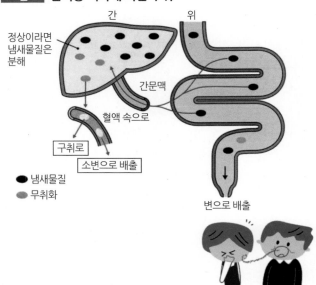

(용어) 혀밑샘(설하선, sublingual gland), 귀밑샘(이하선, parotid gland), 턱밑샘(악하선, submandibular gland)

Q3 피부의 노화는 왜 일어나는가?

A 보습성분이나 피지의 분비가 줄고 수분이 증발해 버리기 때문에 피부의 노화가 일어난다.
또, 자외선 작용에 의해서도 피부의 노화가 일어난다.

사람의 몸은 60~100조 개나 되는 세포로 구성되어 있다. 몸의 60%는 수분인데 생명활동에 필요한 물질의 대사를 행하고 있다.

촉촉하고 탄력 있는 피부는 적당한 수분이 함유되어 있다. 피부의 윤택은 각질층의 세 개의 성분으로 유지되고 있다. 그러나 피부는 항상 건조함에 노출되어 있기 때문에 각질층의 표면이 건조해져서 쉽게 벗겨지고 표피의 수분이 증발함에 따라 잔주름이 생긴다.

각질세포가 원래 갖고 있는 천연 보습성분을 천연 보습인자(NMF)라고 한다. 주로 아미노산, 유산, 요소, 쿠엔산염 등으로 구성되어 있고 피부를 촉촉하게 유지하는 중요한 역할을 맡고 있다. 각질세포 사이에 존재하는 지질을 각질세포간지질이라고 한다. 세라미드, 콜레스테롤, 지방산 등이 지질이중층을 형성하여 피부의 윤택을 유지하고 있다. 피지는 땀과 섞여 피지막을 만들어 각질층의 수분이 증발하는 것을 막고 있다.

자외선은 모르는 사이에 진피층까지 도달하고 콜라겐과 엘라스틴이라는 두 개의 섬유를 파괴하는 효소를 증가시킨다. 그에 따라서 피부는 탄력을 잃고 느슨해져 주름을 발생시킨다. 자외선은 그 밖에도 다량의 멜라닌을 생성시키는 작용이 있어서 색소 침착을 일으킨다. 또, 표피세포의 유전자에 상처를 입히기 때문에 기미나 피부암의 원인이 된다(**그림 1**).

인체는 자외선이나 대기오염, 담배, 알코올 등의 영향을 받으면 활성산소가 발생하고 세포를 산화시킨다.

피부세포의 산화는 유전자를 손상시켜서 타격을 준다. 또, 산화는 피부섬유를 파괴하거나 진피의 콜라겐을 단단하게 해서 노화를 진행시킨다.

그림 1 **피부의 노화**

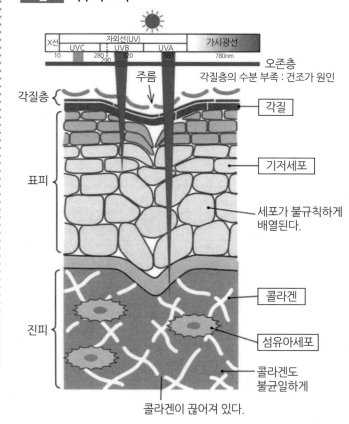

memo

Q4 나이를 먹으면 잠을 설치게 되는데 왜 그런가?

A 나이를 먹으면 수면의 리듬이 짧아진다.
그래서 하룻밤에도 몇 번이나 잠을 설치게 되고 눈을 뜨면
그것이 기억에 남는다.

사람은 피로회복을 하기 위해 잠을 잔다. 나이를 먹으면 외출의 기회가 줄어들거나 육체노동도 적어진다. 좀체 밤에 잠이 안 오는 경우도 있을 것이다.

수면의 내용은 연령과 함께 변화한다. 태어난 직후에는 렘수면과 논렘수면이 비슷한 양이지만 점차 렘수면이 적어지고 10세경까지 논렘수면(non REM sleep)이 많아진다. 중고생이 되면 논렘수면이 적어지기 시작해 노화와 함께 계속 줄어든다. 또, 생체시계의 리듬이 앞서 벗어나기 쉬워진다. 고령이 되면 「밤에 눈이 떠진다」「아침 일찍 눈이 떠진다」는 이야기를 많이 하는데 그것은 이런 이유 때문이다.

고령자가 잠을 설치는 원인은, ①노화에 따른 뇌의 생리적인 변화, ②운동량의 저하, ③퇴직 등에 의한 사회활동의 저하 등이 영향을 주고 있다. 거기에다가 일상생활의 스트레스나 불안 등이 가중된다.

일반적인 논렘수면의 패턴은 3-2-2시간 정도인데 고령이 되면 1-1-1시간 정도가 되어 잠을 설치게 된다. 그러면 수면 시에 도중에 일어나는 시간이 증가한다. 그때 1시간마다 시계를 보게 되면 자신이 전혀 자고 있지 않다고 착각한다. 논렘수면 중에는 뇌도 자고 있기 때문에 기억이 남지 않고 수면 중에는 렘수면시의 일만 기억하고 있기 때문이다. 그 때문에 시계를 본 일만 연속해서 기억에 남아 하룻밤 내내 잠을 자지 않았다고 착각하는 것이다(**그림 1**).

또, 노화에 따라서 여러 가지의 신체증상이 나온다. 예를 들면 남성의 경우는 전립선비대증을 앓고 있으면 화장실에 자주 가고 싶어지기 때문에 잠을 설치게 되어 불면을 느낄 수도 있다.

그림 1 렘수면, 논렘수면의 연령추이

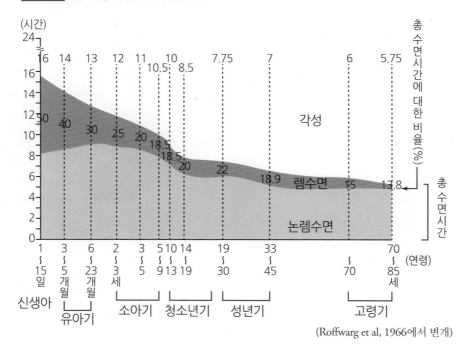

(Roffwarg et al, 1966에서 번개)

용어 REM(Rapid eye movement)수면, NREM(non rapid eye movement)수면

Q5 나이를 먹으면 귀가 잘 안 들리는 것일까?

A 달팽이 감각세포와 그것을 연결하는 신경세포가 노화에 따라 감소하는 것과 활성산소가 원인이다.

나이를 먹으면 「귀가 멀어 진다」라는 것은 소리가 잘 들리지 않게 되는 「노인성 난청」이다.

귀는 외측에서 바깥귀, 중이, 속귀로 구분된다. 그 귀의 가장 안쪽에 있는 속귀에는 「달팽이관」이라는 달팽이 같은 모양을 한 기관이 있다. 이 안에는 소리를 감지하는 털세포가 있어서 신경을 통해 그 정보를 대뇌에 전달한다. 사람의 몸의 성장은 20세 정도에서 일단 멈춘다. 이 세포도 마찬가지인데 거기에서 세포의 수가 줄어들기 시작해 나중에는 소리를 들을 수 없게 되고 그것을 뇌에 전달하는 신경섬유도 감소한다. 또한 고막을 비롯한 귀 속에 있는 작은 뼈나 결합조직이 딱딱해지고 유연성을 잃어 진동이 잘 생기지 않는다. 그 결과 소리를 충분히 전달할 수 없게 된다(**그림 1**).

사람의 귀는 10대 때는 20~20,000Hz의 범위에 있는 소리를 들을 수 있다. 20대를 경계로 하여 이후에 높은 소리를 감지하는 부분의 털세포의 작용이 쇠퇴하기 시작해서 중년기인 40세경부터 10,000Hz이상의 소리가 잘 들리지 않게 된다. 그러나 이 단계에서는 아직 생활에는 그만큼 지장이 없고 술집 등 시끄러운 장소에서 상대의 말이 잘 들리지 않는다는 정도이다. 그러나 사실은 이것이 노인성 난청의 시작인 것이다. 1,100Hz 정도의 소리가 들리지 않게 되면 사람의 소리가 잘 들리지 않고 대화의 불편을 느끼게 된다. 특히 여성의 소리는 남성에 비해 고음이기 때문에 그것이 잘 들리지 않아서 다시 되묻는 일이 많아졌다고 느끼게 되면 주의가 필요하다.

노인성 난청은 개인차가 커서 40~80세대에서 일

어나는 노화현상의 하나로 예방은 어렵고 현시점에서는 회복시키는 것도 불가능하다고 한다. 그러나 최근 연구에서 노인성 난청의 원인이 되는 유전자가 발견되었다. 에너지대사에 관련된 세포소기관인 미토콘드리아 내에 있는 「BaK」유전자가 관계되어 있다는 것을 알았다. BaK가 있으면 노화에 따라 속귀의 세포가 세포사(아포토시스)를 일으켜 난청이 된다는 것이다. 항산화물질을 섭취하는 것으로 이 유전자의 작용을 억제할 수 있고 난청의 발생을 예방할 수 있다고 한다.

그림 1 귀가 멀어지는 이유

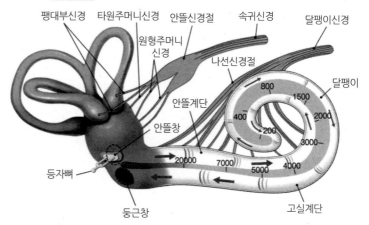

용어 팽대부신경(팽대신경, ampullar nerve), 타원주머니신경(난형낭신경, utricular nerve), 원형주머니신경(구형낭신경, saccular nerve), 안뜰신경절(전정신경절, vestibular ganglion), 속귀신경(내이신경, vestibulocochlear nerve), 달팽이신경(와우신경, cochlear nerve), 나선신경절(spiral ganglion of cochlea), 안뜰계단(전정계, scala vestibuli), 둥근창(와우창, 달패이창, fenestra cochleae, round window), 안뜰창(난원창, oval window), 등자뼈(등골, stapes), 고실계단(고실계, scala tympani)

Q6 중년이 되면 살이 찌는 것은 왜일까?

A 기초대사의 저하에 따라 내장지방형 비만이 되기 쉬운 체질이 된다.
비만은 생활습관병(life style disease)을 일으키는 원인이
되기 때문에 주의가 필요하다.

일반적으로 젊을 때는 대사가 활발해서 먹어도 잘 찌지 않지만, 중년 이후는 근육량의 감소나 운동부족이 더하여져서 기초대사가 저하된다. 젊을 때와 똑같은 내용과 양의 식사를 지속하고 술을 계속 먹으면「중년비만」이 된다.

기초대사가 낮으면 지방이 쌓이기 쉬워서 비만의 원인이 된다. 비만 중에서도 특히 내장 주위에 지방이 쌓이는「내장지방형 비만」인 사람은 지질이상증, 고혈압이나 당뇨병 등 생활습관병이 일어나기 쉽다. 그 밖에도 비만에 의해 일어나기 쉬운 병으로는 수면시 무호흡증후군, 성호르몬 이상, 심근경색 등이 있다. 생활습관병은 상호 여러 가지 요인이 복잡한 관계를 갖고 진전되기 때문에 평소부터의 예방이 필요하다.

피부밑지방은 피하에 있는 지방세포에 체지방이 축적되어 있다. 잘 보이는 곳이 복부 둘레나 허리, 엉덩이, 허벅지 등이다. 복부의 내장 주변에 축적되어 내장을 고정시키고 쿠션역할을 하고 있는 체지방을 내장지방이라고 한다. 외견으로는 그다지 쌓여있는 것을 잘 알 수 없지만 많이 쌓이면 생활습관병을 초래한다.

비만도를 나타내는 지표로써 BMI가 있는데 18.5∼25가「정상범위」라는 기준이 있다. BMI 수치는「체중(kg)÷{신장(m)}²」로 계산할 수 있다. BMI 수치가 너무 높으면 비만의 우려가 있다. 비만은 외견상의 문제만이 아니고 생활습관병이 되기 쉬워서 주의가 필요하다. 기초대사나 BMI에 외에도 최근 시판되고 있는 체지방계가 붙어 있는 자동식 체중계가 있는데 체지방율을 체크하면 비만도를 더욱 상세하게 알 수 있다. 남성이 15∼20%, 여성이 20∼25%가「정상범위」라고 되

어 있다. 스모선수는 외견은 상당한 비만체임에도 불구하고 체지방율을 조사해 보면 의외로 낮다고 한다.

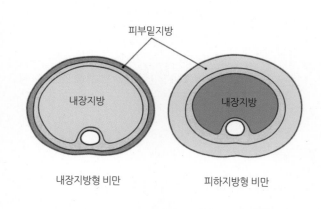

피부밑지방

내장지방   내장지방

내장지방형 비만   피하지방형 비만

피부밑지방

내장지방

내장지방형 비만   피하지방형 비만

memo

Q7 나이를 먹으면 왜 노안이 되는 걸까?

A 나이를 먹으면 수정체의 탄성이 사라져 조절력이 약해지고
가까이 있는 것에 초점을 맞추는 것이 힘들어 진다.
이것이 노안이다.

어머니가 신문의 광고를 보면서 눈에서 멀리 떨어뜨리고 보는 광경을 본 딸이 「엄마, 노안 시작됐네?」라고 말하자 「아직 멀었어, 애. 다 보이는 걸」하고 부인하는 어머니와 딸의 대화가 눈에 선하다.

노화에 의해 노안이 되면 수정체의 탄성이 사라지고 조절력이 약해지는데, 가까운 곳에 초점을 맞추는 것이 어려워진다. 40세를 넘기면서 자각하는 사람이 많지만 실제로는 20세 전후부터 그 조절력의 감소는 시작된다. 일상생활에서 글자를 읽을 때의 거리인 30cm 전후가 잘 보이지 않게 되는 것이 초기증상이다(**그림 1**).

교정은 돋보기로 한다. 돋보기는 볼록렌즈로 만들어져 있는데 원리는 원시의 안경과 똑같다. 조절력의 감퇴에 따라 필요한 볼록렌즈의 도수도 강하게 할 필요가 있다. 그래서 처음에는 도수를 약하게 한다. 돋보기 사용 시에는 먼 곳을 잘 볼 수 없으니 가까운 것을 볼 때에만 한정적으로 사용한다.

이전부터 근시·원시·난시 등으로 안경을 썼던 사람도 당연히 노안이 된다. 이 경우엔 먼 곳을 보기 위한 도수에 적절한 볼록렌즈의 도수를 더한 것을 가까운 것을 보기 위해 사용한다. 원래가 근시로 오목렌즈를 사용하던 경우는 그 만큼 오목렌즈의 도수를 약하게 한다. 약한 근시에서는 원방시용으로 오목렌즈, 근방시용으로 볼록렌즈가 사용되는 경우도 있다(**그림 2**).

그림 1 노안의 구조

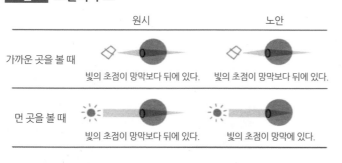

	원시	노안
가까운 곳을 볼 때	빛의 초점이 망막보다 뒤에 있다.	빛의 초점이 망막보다 뒤에 있다.
먼 곳을 볼 때	빛의 초점이 망막보다 뒤에 있다.	빛의 초점이 망막에 있다.

그림 2 근시와 원시

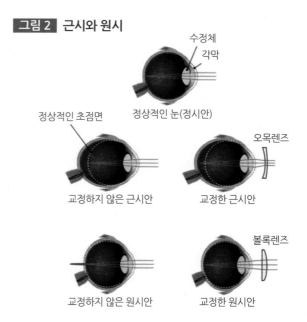

수정체
각막
정상적인 눈(정시안)
정상적인 초점면
교정하지 않은 근시안
오목렌즈
교정한 근시안
교정하지 않은 원시안
볼록렌즈
교정한 원시안

memo

Q8 나이를 먹으면 왜 자꾸 잊어버리는 것일까?

A 건망증의 원인은 노화에 의한 뇌의 기능저하도 있지만
정신적인 것이 크게 영향을 준다.
나이를 먹어도 무슨 일이든 적극적으로 대처하자!

어제 저녁 반찬이 뭐였더라?「……!」. 그럼, 그저께는?「음~」. 그럼, 그 전에는?

이런 일은 일상에서 자주 일어나는 일이다. 빠른 사람은 40세를 넘기면서「건망증」의 증상이 나타난다. 신경세포의 수는 태어났을 때가 가장 많아서 140억 개 이상 있다. 그러나 성장함에 따라 일일 약 5~10만 개씩 죽는다. 기억하는 행위는 기억의 회로에 전기신호가 발생하고 전달되는 것에 의해 일어난다. 이 기억하려는 지령을 전달하는 에너지가 부족하여 전기신호가 회로에 잘 전달되지 않으면「건망증」이 된다(**그림 1**).

기억나지 않을 때「역시 나이가 들었나봐, 어쩔 수 없다니까」하고 생각 하는가? 건망증은 결코 노화가 최대의 원인은 아니다. 나이를 먹은 후 건망증이 빈번해지는 것은 뇌의 기능저하도 있지만 정신적인 것이 크게 관련되어 있다.

생각난다는 것은 우선 기억한다는 것이다. 호기심이나 의욕은 뭔가를 기억할 때에 아주 중요하다. 젊을 때 기억력이 좋은 것은 보고 듣는 전부가 신선하고 호기심을 안고 적극적으로 흡수하려고 하기 때문이다. 그것이 나이를 먹으면 매너리즘화해서 신선함을 느낄 수 없거나 적극적으로 기억하려는 의욕도 희박해진 것이다. 그렇게 되면 외우겠다는 마음만 있을 뿐 실은 정확히 기억하지 못하는 것이다.

외우지 않았는데 생각해 내는 것은 불가능하다! 그러나 본인은 외웠다고 생각하기 때문에「잘 생각나지 않는다」고 착각을 해버린다. 이것이야말로 나이를 먹어 건망증이 심해졌다고 느끼는 최대의 이유인 것이다.

「오래된 기억만큼은 다 생각난다」라고 자주 말하는데 그것은 기억했던 것이 젊을 때였기 때문이다. 또한 장기기억을 보존하는 대뇌겉질은 노화에 의한 영향을 그만큼 크게 받지 않기 때문이다. 게다가 장기기억은 과거에 몇 번이나 접근했었기 때문에 신경섬유의 전달경로도 완성되어 있다. 그 결과 나이가 들어 최근의 기억은 잊어버려도 옛날 일이라면 정확히 기억할 수 있는 것이다.

그림 1 건망증이 일어나는 구조

꽃을 보고 기억한다.

몇 번이나 신호가 흘러 꽃의 기억회로가 생긴다.

신호가 잘 흐르지 않아도 꽃의 기억회로는 평생 남아 있다.

신호가 잘 흐르지 않아 생각나지 않는다.

다른 기회에 꽃을 보고 기억이 재생된다.

memo

Q9 뼈엉성증은 여자의 병인가?

A 여성의 경우 폐경 후에 여성호르몬인 에스트로겐의 분비가
급격하게 저하하여 골량이 감소하기 쉽기 때문에
뼈엉성증에 걸리기 쉽다고 할 수 있다.

뼈엉성증은 뼈의 양이 감소하여 뼈가 약해지거나 쉽게 골절되는 질환이다. 근래에 수명이 연장되고 고령자 인구가 증가하기 때문에 일본에서는 약 1,000만 명의 환자가 있다고 추측되고 있다. 또, 고령자인구의 증가에 따라 그 수가 증가하는 것은 확실하여 특히 사회문제가 되고 있다.

뼈의 구조에서 보면 치밀뼈보다 갯솜뼈가 뼈의 양의 감소가 명확하다. 갯솜뼈는 골량이라고 해서 스폰지 같은 그물모양의 구조를 하고 있는데 그것이 「엉성하게」되어서 뼈가 약해지는 것이다. 뼈가 약해진다는 것은 조금만 부딪쳐도 쉽게 골절되는 것을 의미한다(그림 1, 2).

고령자가 병상에 눕는 원인 중 약 20%가 「넙다리뼈목의 골절」이다. 골절을 계기로 누워 버리면 골절이 치료가 된 후에도 자력으로 걷는 것이 힘들어 진다. 또, 허리 주변의 등골이 압박을 받아 짓눌리(압박골절)면 등이 굽어지고 내장이 압박을 받기 때문에 소화불량이 나 변비에 걸리기도 한다.

뼈는 파괴와 신생을 반복하는 신진대사에 의해 끊임없이 새롭게 태어나고 변하고 있다(뼈의 리모델링). 리모델링은 갯솜뼈에서 특히 활발하게 이루어지고 있는데 그 때 관련되는 「뼈파괴세포」와 「뼈모세포」의 작용 중 어느 쪽이 활발해지는가에 따라 뼈가 줄어들지, 늘어날지 결정된다.

골량의 증가·유지는 몇 개 호르몬의 영향을 받는다. 성호르몬은 제2차 성징 이후에 분비되어 뼈의 성장·성숙에 중요한 작용을 한다. 여성에게는 폐경 후 여성호르몬인 에스트로겐의 분비가 급격하게 저하하기 때문에 골량이 쉽게 감소한다. 또, 부갑상샘호르몬이 증가되면, 칼시토닌(calcitionin)은 뼈의 파괴를 억제하는 작용이 있다. 호르몬 이외에 비타민 D도 중요한 인자이다. 음식물에서 흡수하고 일광욕에 의해 활성화되어 장에서의 칼슘흡수를 촉진하는 작용을 한다.

그림 1 뼈엉성증

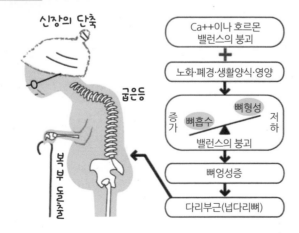

그림 2 대골절호발부위

PART **8**

기타

Q1 배꼽을 파면 배가 아프다는데 정말인가?

A 배꼽은 복부내장을 감싸는 복막에 직접 연결되어 있다.
복막 안에는 신경이 퍼져있기 때문에
그것을 자극하여 복통을 일으킬 수도 있다.

원래 배꼽은 태아가 모체 내에서 성장하기 위해 필요한 영양소나 산소의 공급 및 노폐물의 배출을 하던 태반과 연결된 탯줄의 배 쪽 흔적이다. 태어나서 살다 보면 배꼽은 특별히 유용한 기관은 아니다.

배꼽에 관해서는 옛날부터 속담이 많은데 「배보다 배꼽이 크다」, 「배에 발기름이 꼈다」, 「배꼽은 작아도 동지팥죽은 잘 먹는다」······등이 있다.

어릴 때 배꼽 때가 신경 쓰여서 배꼽을 만지작거리면 「배가 아프게 되니까 하지 말아라」하고 부모님께 야단맞은 적이 있었다. 왜 배꼽을 파면 배가 아픈 걸까? 이것은 단지 미신일 뿐일까? 그렇다고 거짓말도 아닌 것 같다.

배꼽은 탯줄이 떨어져 나간 「구멍」이기 때문에 몸의 다른 피부와는 상황이 다르고 그 안은 바로 내장과 연결되어 있다. 배꼽 안쪽에는 근육도 없고 피부밑지방도 적은데 복막이라는 막이 있을 뿐이다. 복막은 위, 작은창자, 큰창자, 간 등의 내장을 감싸는 커버 역할을 하는 막이다(**그림 1**). 배꼽을 판다는 것은 직접 복막을 자극하는 것이 된다. 복막에는 신경이 있어서 그것이 내장을 덮고 있는 막 전체에 전달되어 배가 아프게 되는 것이다. 또, 손톱 등으로 상처를 내면 거기에서 세균이 감염되어 복막이 염증을 일으키고 배가 아픈 원인이 된다(**그림 2**).

배꼽의 때는 피부의 때가 배꼽 속으로 들어가 먼지와 섞여서 만들어진 덩어리이다. 귀지 등과 같은 부류의 것이다.

그림 1 복강내의 복막

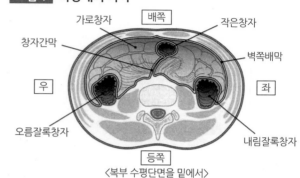

〈복부 수평단면을 밑에서〉

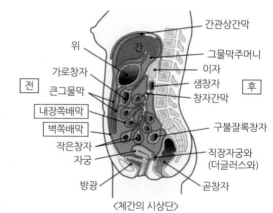

〈체간의 시상단〉
배막은 뱃속 장기의 대부분에 접해서 하나로 연결하고 있다.

그림 2 배꼽의 구조에 따른 질환

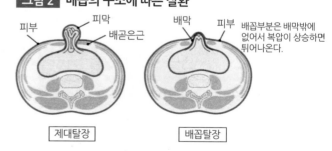

배꼽부분은 배막밖에 없어서 복압이 상승하면 튀어나온다.

제대탈장   배꼽탈장

용어 창자간막(장간막, mesentery), 이자(췌장, pancreas), 샘창자(십이지장, duodenum), 내장쪽배막(장측복막, visceral peritoneum), 벽쪽배막(벽측복막, parietal peritoneum), 간관상간막(ligamentum coronarium hepatis), 큰그물막(대망, greater omentum), 그물막주머니(망낭, omental bursa), 곧창자자궁오목(직장자궁와, rectouterine pouch), 배곧은근(복직근, rectus abdominis muscle)

Q2 외국인은 체취가 심한데 왜 그럴까?

A 유전적으로 아포크린땀샘에서의 분비액에 점성이 있는 것과
고기나 유제품 등 동물성지방을 즐겨 먹는 식생활이 원인이다.

체취의 큰 요인으로 겨드랑이가 있다. 겨드랑이 밑의 땀샘(sweat gland)으로 대표되는 아포크린땀샘에서 나오는 분비액과 관련이 있다. 이 분비액에는 지방, 단백질, 당분, 철분, 암모니아 등의 성분이 함유되어 있어서 피부표면의 세균과 섞여 분해되고 냄새를 발한다(**그림 1**). 그럼 아포크린땀샘이 활발하게 작용하는 액취체질의 사람은 어떤 사람일까?

첫 번째는 귀지가 기준이 된다. 바깥귀길에도 아포크린땀샘이 있어서 그것이 활발하게 작용하는 사람은 끈적끈적하고 습한 귀지가 나온다. 귀지는 건조한 타입(마른 귀지)과 습한 타입(물 귀지) 두 가지로 나누는데 인종에 따라 비율이 다른 만큼 유전성이 있다. 액취가 나는 사람은 100% 이 습한 타입이다. 또, 이 체질은 유전되기 때문에 친척 중에 액취가 나는 사람이 있거나 양친 중 어느 쪽의 귀지가 습한 타입이면 그럴 가능성이 높다(**그림 2**).

다음으로 겨드랑이털이 많거나 여성인 경우는 털이 굵은 사람이다. 겨드랑이털이 많으면 모근의 수도 많아서 모공에서 나오는 땀도 많아진다. 결국 냄새의 원인이 되는 땀이 많이 분비된다. 또, 그렇지 않더라도 겨드랑이의 땀이 많은 사람이나 하얀 속옷이 노랗게 물든 적이 있는 사람은 그 원인은 아포크린땀샘의 분비로 액취의 원인이 된다.

그 외에도 고기 중심의 식생활을 하면 고기나 유제품 등에 포함된 동물성지방이 아포크린땀샘이나 피부기름샘을 활발하게 하고 냄새가 강한 땀의 원인을 증가시킨다. 액취는 「취한증」「액취증」이라고 불리는데 병은 아니다. 민족별로 액취증의 비율을 살펴보면 흑인…100%, 구미인…70~90%, 일본인…10~15%, 중국인…3~5%라고 하는데 「동물성지방을 자주 먹는다 =액취증 체질」이 많다고 할 수 있다. 유럽에서는 옛날부터 일상생활 중에 향수를 사용해 왔는데 이것도 강한 체취를 숨기기 위해서라고 한다.

그림 1 냄새 발생의 구조

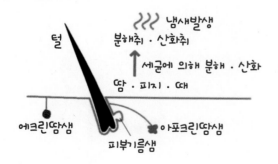

그림 2 귀지는 우성유전

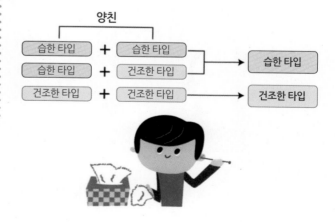

Q3 여자는 나이를 먹어도 머리가 벗겨지지 않는데 왜 남자만 대머리가 되는 걸까?

A 머리카락은 남성호르몬에 의해 조절된다. 그 중에서도 디히드로테스토스테론(dihydrotestosterone, DHT)이 대머리가 되는 열쇠를 쥐고 있다.

머리카락은 성장기, 후퇴기, 휴지기라는 사이클을 반복하면서 휴지기에는 머리카락이 자연스럽게 빠진다. 누구라도 하루에 약 100개의 머리카락이 빠진다. 그러나 나이를 먹으면 두피의 노화나 영양부족으로 모모세포가 분열하지 못하거나 성장기라도 털이 자라지 못하게 된다. 노화에 따라서 새로 나는 머리카락이 솜털같이 가늘어지거나 모질에 변화가 나타난다.

수염이나 가슴 털 등의 체모는 남성호르몬에 의해서 성장이 촉진된다. 그러나 남성호르몬은 두발에 대해서는 성장을 방해하는 방향으로 작용한다. 그래서 남성호르몬의 분비량이 많은 사람이 대머리가 된다고 하지만 그 분비량만으로 결정되는 것은 아니다. 실은 남성호르몬의 감수성의 차이에 관계가 있는 것이다.

가장 대표적인 남성호르몬인 테스토스테론(testosterone; TS)이 모근부분으로 옮겨지면 환원효소5α리덕타제Ⅱ※에 의해서 디히드로테스토스테론(DHT)이라는 강한 활성형 남성호르몬으로 변한다.

이 DHT가 모모세포에 있는 수용체인 안드로겐리셉터(AR)와 연결되어 TGF-β1(NT-4인 경우도 있다)이나 IGF-1 중 한쪽을 우위에 작용하게 한다. 전자가 우위가 된 경우 머리카락은 빠지거나 또는 빠지기 쉬운 상태가 되고 박모화(헤어사이클의 교란)되어서 머리카락의 성장이 방해를 받는다. 반대로 후자인 경우에는 세포분열을 활성화해서 머리카락이 자라는 등 성장하는 방향으로 작용한다(그림 1).

머리숱이 없는 남성의 머리카락을 조사하면 모근부근에는 TGF-β1 (또는 NT-4)이 있다는 것을 알 수 있다. 박모가 아닌 남성에게는 존재하지 않거나 또는 적기 때문에 머리카락이 빠지는 원인인 것은 거의 명확하다. 빠지는 머리카락이 증가하는 것은 모발의 성장기가 짧다는 것인데 어떤 머리카락이나 모두 단기간에 빠져 버리고 짧고 가느다란 머리카락만 남아 피부가 훤히 보이게 된다.

※5α리덕타제는 주로 두피와 전립샘에 존재하는 효소로 이 효소의 활성이 두피의 디히드로테스토스테론 레벨을 좌우하는 요소로 되어 있다.

그림 1 남성호르몬 유래에 의한 탈모의 메카니즘

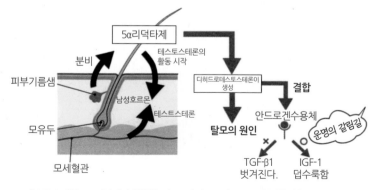

테스토스테론+5α리덕타제(환원효소) ➡ 디히드로테스토스테론(활성형 남성호르몬)

Q4 기쁠 때나 슬플 때의 눈물은 무엇 때문에 나오는 것인가?

A 눈물에 의해 스트레스 물질을 배출하고 릴랙스를 촉진하는 물질이 생성된다. 또, 「운다」라는 행위에 의해 감정의 발산을 이루고 정신적 완화가 일어난다.

희노애락의 감정에 의해서 흐르는 눈물은 「자율신경」과 깊이 관련되어 있다.

예를 들면 「화냄」이나 「분함」 등으로 감정이 격해졌을 때의 눈물은 심신을 긴장·흥분시키는 「교감신경」이 자극을 받아 흐르는 눈물로 혈관이 수축한 상태인데 본래 나오지 않아야할 것을 억지로 짜내기 때문에 성분은 칼륨 함유율이 높고 불쾌해 진다.

「슬픔」이나 「동정」의 눈물은 안정을 취할 때의 「부교감신경」 우위의 눈물로 긴장이 완화되고 혈관이 확장되어서 눈물의 양이 많고 그다지 불쾌하지 않다.

일반적으로 남성보다 여성 쪽이 잘 운다는 이미지가 있다. 그것은 여성과 남성의 감정의 메카니즘이 다르기 때문이다(**그림 1**).

사람은 스트레스를 느끼면 부신겉질자극호르몬 (ACTH)이나 코르티졸이 분비된다. 눈물 속에는 이 스트레스호르몬과 로이신-엔케파린이 함유되어 있다. 로이신-엔케파린은 고통과 스트레스를 완화시키고 안정을 촉진하는 뇌내호르몬이다. 사람은 우는 것으로 혈액 속에 쌓인 스트레스 물질을 체외로 배출하고 동시에 코눈물관을 통해 코에 흐르는 눈물에서 로이신-엔케파린을 흡수함에 따라 릴랙스를 촉진한다(**그림 2**). 또, 진통·진정작용이 있는 락토페린이라는 모유나 침에 함유된 단백질도 분비되어 같은 효과를 나타낸다.

심리학적으로는 「운다」라는 행위는 감정의 발산에 해당되고 카타르시스(정화)에 해당된다. 사람은 자신이 안고 있는 감정을 밖으로 표출함에 따라 편해질 수 있다. 쌓이면 쌓일수록 무거워지는 기분을 「운다」라는 행위에 의해서 「지금 발산하고 있다」고 자신에게 이야기하고 있는 것이다. 「운다」라는 행위는 자신의 감정을 「슬프다」 「기쁘다」로 확인시키는 행위인데 감정파악이라는 의미에서 정신적으로도 기분이 산뜻할 것이다.

그림 1 눈물의 분비에 관계되는 신경

★1 최루핵이라고도 한다.
★2 시각신경에서 눈물샘신경은 감각에 관여

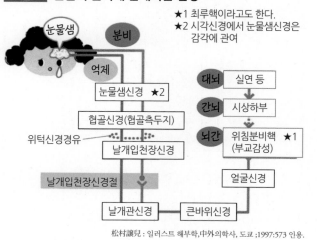

松村讓兒 : 일러스트 해부학,中外의학사, 도쿄 ;1997:573 인용.

그림 2 눈물샘과 눈물기관

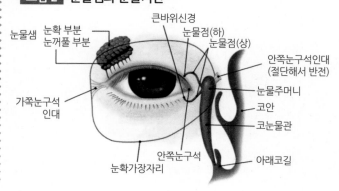

용어 눈물샘신경(누선신경, lacrimal nerve), 협골신경(nervus zygomaticus), 위턱신경(상악신경, maxillary nerve), 날개입천장신경(익구개신경, pterygopalatine nerve), 날개관신경(익돌관신경, pterygoid nerve), 큰바위신경(대추체신경, greater petrosal nerve), 위침분비핵(상타액핵, superior salivatory nucleus), 얼굴신경(안면신경, facial nerve), 눈물샘(누선, lacrimal gland), 눈물기관(누기, lacrimal apparatus), 눈확 부분(안와부, orbital part), 눈꺼풀 부분(안검부, palpebral part), 눈물점(lacrimal punctum), 눈구석인대(안각인대, canthal ligament), 눈물주머니(누낭, dacryocyst), 코안(nasal cavity), 코눈물관(비루관, nasolacrimal duct), 눈확가장자리(안와연, orbital margin), 아래코길(하비도, inferior nasal meatus)

Q5 오른손잡이와 왼손잡이는 어떻게 결정되는가?

A 태아 때의 산소공급이나 출산 때의 가벼운 압박 등 뇌에 대한 자극이 왼손잡이를 낳는다는 설 등이 있지만 현재로썬 확실히 모른다.

오른손잡이, 왼손잡이 중 당신은 어느 쪽인가? 오른손잡이, 왼손잡이의 경우는 우리나라와 마찬가지로 세계적으로도 대부분의 사람이 오른손잡이이고 왼손잡이인 경우는 전체의 10% 정도밖에 없다. 인류가 두발 보행을 시작하면서 도구나 언어를 사용하고 진화하는 과정에서 뇌가 크게 발달하고 그와 함께 오른손잡이 왼손잡이가 생겼다.

이 진화과정은 이제 갓 태어난 아기의 발달 과정에서 엿볼 수 있다. 0~2세 정도의 아기의 모습을 관찰하면 이때는 좌우 어느 쪽이건 아무거나 사용한다. 정확히 정해지는 건 3~4세 정도일 것이다.

오른손잡이가 많은데 왼손잡이인 사람도 있는 이유가 무언가 있을 것이다. 여기에는 여러 가지 설이 있는데 현재에서도 명확하게 밝혀진 건 없다. 옛날부터 알려진 것은 유전에 관한 설이다. 아이가 왼손잡이가 되는 비율은 양친 모두 오른손잡이라면 약 2.1%, 한쪽 부모가 왼손잡이라면 약 17.3%, 양친 모두 왼손잡이라면 약 46%로 비율은 올라가지만 확실한 건 아니다. 또, 일란성쌍둥이라도 한 명은 오른손잡이. 나머지 한 명은 왼손잡이인 경우도 있다.

그 밖에도 확실히 결정되는 3~4세 정도까지 왼손을 많이 사용했다면 왼손잡이가 된다는 「환경설」이 있다. 또, 태아 때의 성장 과정 또는 출산 때의 어떤 이유로 좌뇌를 압박한 것이 있으면 좌뇌의 작용을 보충하기 위해 우뇌가 활발하게 작용하는 왼손잡이가 된다는 설도 있다. 또한 태아 때의 산소공급에 의존한다는 설도 있다. 어느 쪽이든 뇌와 관계가 있다.

또, 왼손잡이인 사람의 뇌는 3종류로 나눌 수 있다.
① 좌우의 뇌가 전혀 반대로 되어 있다.
② 언어 능력(오른손잡이는 좌뇌)이나 공간능력(오른손잡이는 우뇌)이 좌우 양쪽에 있다.
③ 오른손잡이인 사람의 뇌와 다르지 않다.

오른손잡이와 다르지 않은 경우나 좌우의 뇌가 반대로 되어 있는 경우는 단지 쓰는 손이 거꾸로 된 것뿐이라고 할 수 있을 것이다. 그러나 ②의 경우에서는 오른손잡이인 사람보다 좌우 양쪽 뇌를 사용하는 빈도가 높다고 생각할 수 있다. 그래서 왼손잡이인 사람은 수학, 예술, 음악, 스포츠 등 폭넓은 분야에서 활약한다고 한다.

쓰는 손이나 좌우 뇌의 차이와 병

우뇌보다 좌뇌 쪽이 쉽게 상처받는 특징이 있다. 예를 들면 좌뇌에서 뇌졸중이 일어나서 우측반신불수가 되는 것은 좌측반신불수가 되는 사람의 약 4배. 뇌가 받는 손상도 좌뇌 쪽이 약 2.5배나 많다. 한편, 왼손잡이인 사람이 걸리기 쉬운 병에도 특징이 있다. 수면장해나 사시, 실독증(alexia), 말더듬이가 되기 쉽고 청각장해가 되는 확률은 오른손잡이의 약 2.5배이다. 또한 완전 왼손잡이인 경우는 알레르기나 화분증 등 면역계의 병이 될 확률이 오른손잡이의 약 2.5배나 된다고 한다.

memo

Q6 휴대전화는 몸에 나쁜가?

A 전자파의 비열작용이 유전자의 손상, 발암성, 두통, 수면 및 학습에 영향을 준다는 설이 있는가 하면 영향이 인정되지 않는다는 설도 있어서 결론이 나지 않는 상황이다.

휴대전화가 몸에 나쁘다고 불안해 하는 것은 전자파 때문이다. 고에너지 전자파는 인체에 유해한 것은 사실이다. 그럼 미약한 전자파인 휴대전화는 어떨까? 전차나 버스 등의 경로석에는 「휴대 전화의 스위치는 끄자」고 되어 있다. 이것은 인공심박조율기 등 의료기기의 오작동의 위험이 있기 때문이다. 그럼 인체에 직접 주는 영향은 어떨까?

현재 인체에 대한 전자파의 영향은 「자극작용」「열작용」「비열작용」세 개로 나눌 수 있다(**그림 1**). 전자파는 그 주파수나 전력밀도, 조사시간 등에 각각 특징이 있는데 영향력이 크게 다르다.

■ 자극작용의 영향

전파가 흐르는 금속에 닿으면 인체에 전류가 흐르고 그것이 어느 정도의 세기 이상인 경우에는 「찌리릭, 찌리릭」하고 느낀다(자극작용). 저주파치료기는 이 작용을 이용한 의료기기로 전류가 흘러 자극을 느끼는 것 자체는 위험하지 않다. 다만 휴대전화의 주파수는 높아서 자극작용은 없다.

■ 열작용에 의한 영향

전파가 인체에 닿으면 그 일부는 반사되지만 일부는 인체에 흡수된다. 흡수된 전파의 에너지는 열이 되어 전신 또는 부분적으로 인체의 체온을 상승시킨다(열작용). 휴대전화로 사용되고 있는 전파의 주파수는 열작용이 지배적인 주파수대에 속해 있다. 이 전자파의 열작용을 이용한 것으로 우리 주변에 있는 것이 전자렌지이다. 휴대전화의 전자파는 전자렌지에 아주 가까운 주파수대이다.

이 마이크로파의 특징이기도 한 핫스팟 효과(물체 중심에 전자파가 모여 열을 발생시킨다)에 의해 전자렌지가 음식을 데우는 것처럼 휴대전화를 귀에 대면 두부의 중심부가 집중적으로 뜨거워진다는 설이 있다. 그러나, 전자렌지의 출력이 500~600W인 것에 비해 휴대전화는 겨우 0.6~0.8W로 1/1,000 정도의 에너지밖에 되지 않는다.

■ 비열작용에 의한 영향

세 번째의 비열작용이야말로 유전자 손상, 발암성, 두통, 수면이나 학습에 영향이 있어서 전자파에 문제가 있다고 사람들은 말한다. 휴대 전자파의 비열작용의 영향에 대한 보고는 확실히 다수 있지만 영향이 인정되지 않는다는 보고도 다수 있다. 아직 결론이 나오지 않은 것이 현실이다.

그림 1 전자파의 문제

memo

Q7 딸은 아버지를 아들은 어머니를 닮는 것은 유전이 관련되어 있는가?

A 자식이 부모를 닮는 것은 유전이 관계되어 있지만 딸은 아버지를 아들은 어머니를 닮는 것과는 관계 없다.

당신은 아버지를 닮았는가? 아니면 어머니를 닮았는가? 자식이 부모를 닮는 것이 유전과 관계 있는 것은 틀림 없다.

유전은 얼굴이나 체형, 체질에 이르기까지 염색체 안에 DNA라는 형태로 설계되어 있다. 아이는 이 염색체를 어머니와 아버지 각각으로부터 한 개씩 이어 받는다.

사람의 염색체는 44+XY인 46개다. 44개는 상염색체, XY는 성염색체라고 해서 남녀를 결정 짓는다. 아이는 아버지에게서 22개, 어머니에게서 22개인 44개의 상염색체를 물려 받는다. 그 중에서 양친의 「좋은 점 빼기?」를 하는 유전자 재편성이 일어난다.

그러나 성염색체는 그대로 한쪽 부모에게서 물려 받는다. 따라서 이 성염색체상에 얼굴을 형성하는 유전자가 전부 있다고 가정하면 부모의 축소판이 될 것이다. 그러나 그런 일은 있을 수 없다.

다만 인간 이외에서는 성염색체에 얼굴 유전자? 가 있는 예가 있다. 초파리는 눈의 색소의 형질이 암컷에서는 아버지, 수컷에서는 어머니의 것을 갖는다. 이것은 암컷의 X염색체는 수컷의 자손에게 수컷의 X염색체는 암컷의 자손에게 전해주기 때문이다(십문자 유전). 원리적으로는 사람에게도 적합한 반성유전이다.

또, 얼굴을 형성하는 것은 모두가 유전자인가 하면 그렇지 않다. 자라온 환경이나 생활습관에도 큰 영향을 받는다. 「아버지를 닮았네」하고 다른 사람이 하는 말은 얼굴을 보고 하는 말이다. 얼굴 중에서도 유전의 영향을 받기 쉬운 부분은 「얼굴의 윤곽」「코의 높이」「이의 모양」이다.

「치열」은 유전보다도 식생활이나 생활습관이 크게 영향을 준다. 어릴 때 과자만 먹으면 「치열」이 좋지 못하다. 얼굴 골격의 성장 자체는 신장과 마찬가지로 개인차는 있지만 남성은 18세 정도, 여성이라면 15세 전후로 멈춘다. 그 후는 연령이나 환경에 의해 유전과는 다른 요인으로 변화해 간다. 「얘야, 어머니 젊을 때랑 똑같구나」등 나이를 먹어감에 따라 부모를 닮는 사람, 닮지 않는 사람이 있는 것은 이런 이유이다.

또, 자주 하는 말이 「신장」이다. 신장도 유전의 요소가 큰 것 중의 하나이다. 통계에 의해 양친의 신장에서 태어난 아이의 신장을 산출해 내는 계산식이 있다※. 원래 골격은 유전의 영향이 커서 나이를 먹어감에 따라 부모를 닮는다고 한다.

※남성의 경우 (아버지의 신장+어머니의 신장+13cm)÷2
여성의 경우 (아버지의 신장+어머니의 신장-13cm)÷2
(오차는 남성이 ±9cm, 여성이 ±8cm)